for

all the wonderful volunteers
on and around the Appalachian Trail
who, with their never ending dedication and generosity
make this Trail remain *the American Classic*
to enjoy for future generations as well

Manuela Pinggèra

Fünf Millionen Schritte vierzehn Bundesstaaten ein Weg:

Der Appalachian Trail

Teil I

Bibliographische Information Der Deutschen Bibliothek:
Die Deutsche Bibliothek verzeichnet diese Publikation in
der Deutschen Nationalbiographie;
detaillierte bibliographische Daten sind im Internet über
<http://dnb.ddb.de> abrufbar.

Originalausgabe Februar 2017

Umschlaggestaltung, Layout und Satz: Manuela Pinggèra
Photos und Grafiken, wenn nicht anders angegeben, stammen aus der Hand der Autorin
Umschlagphotos: Southern Balds in den *Roan Highlands*, North-Carolina/Tennessee
Herstellung und Verlag: BoD – Books on Demand, Norderstedt
Printed in Germany

ISBN 9-783-74312436-3

Inhalt

Vorwort

Dieses Buch hätte es gar nicht mehr geben sollen.
Es war zwar schon längst als Buchprojekt geplant, bevor ich das erste Mal auf den Appalachian Trail kam, doch hinterher wollte das Ganze einfach nicht klappen – da war nichts zu machen; ich fand keinen rechten Einstieg ins Thema, von dem aus das Ganze entwickelt werden sollte. Ein erstes Manuskript brach ich mittendrin ab, weil es nicht das war, was ich mir vorgestellt hatte. Es war wie verhext.
Da wandert man zwei Mal einen Weitwanderweg, zu dem es reichlich zu berichten gäbe – allein, es will einfach nicht funktionieren.
Es sollte keine Tag für Tag Nacherzählung meiner kompletten Wanderungen werden. Erstens gibt es solche Berichte auf dem amerikanischen Buchmarkt zuhauf, zum anderen aber werden diese Berichte schnell etwas eintönig, denn auch auf dem Appalachian Trail erlebt man nicht pausenlos Abenteuer oder hat aufregende Erlebnisse anderer Art.
Dieses fruchtlose Hin- und Her an angestrengtem Überlegen, ein brauchbares Konzept zu finden, mit der Ratlosigkeit darüber, was daran denn nur so kompliziert sein konnte, dauerte gut drei Jahre, bis ich beschloss, unter das Projekt endgültig einen Schlussstrich zu ziehen. Das Vorhaben war für mich also abgehakt.

Im vergangenen Jahr hatte ich ein Klassentreffen mit Klassenkameraden aus meiner Münchner Realschulzeit, zu dem auch einige Lehrkräfte gekommen waren, die uns damals unterrichtet haben. Der Abend verlief sehr erfreulich, mit allerlei Spaß und Unterhaltung; man tauschte sich über dieses und jenes aus – auch der Appalachian Trail war hier und da Thema, wobei es mehr um die grundsätzlichen Informationsaspekte zum Trail ging, als um Einzelheiten meiner beiden Komplettwanderungen (Thru-hikes). Insgesamt war es ein sehr schöner Abend, von dem ich zufrieden nachhause fuhr.
Am Tag darauf wache ich auf, und als sei irgendwo unbemerkt ein Schalter umgelegt worden, stand mir mit einem Mal klar vor Augen, wie dieses Buch zu schreiben sei.

Warum nun zwei Bücher?
Nachdem das Manuskript fertig war, kamen knapp 260 DIN A 4 Seiten reiner Text zusammen, in die noch zahlreiche Photos und Grafiken eingefügt werden sollten, außerdem standen Satz

und Gestaltung des gesamten Buchblocks bevor, damit das Endprodukt lesbar wird.
Es sollte auf keinen Fall ein unhandlicher Wälzer am Ende dabei herauskommen, der womöglich nach kürzester Zeit im Buchrücken auseinanderfällt. Das macht keinem Leser Freude.
Daher gibt es nun einen eher allgemein gehaltenen ersten Teil zu vielerlei Aspekten des Trails mit einigen persönlichen Erfahrungsberichten zwischendrin und als Folgetitel einen zweiten Teil, der dem Verlauf des Appalachian Trails in klassischer Süd-Nordrichtung Bundesstaat für Bundesstaat von Georgia nach Maine folgt, mit gelegentlichen Einschüben aus meiner Erfahrung als Northbounder und als Southbounder.
Beide Buchteile enthalten die vollständigen Anhänge, denn sie 'funktionieren' auch als eigenständige Bücher.

Die folgenden Kapitel beider Bücher enthalten oftmals englischsprachige Ausdrücke, die ich bewusst und auch wiederholt verwendet habe. Dabei handelt es sich um spezifisches Vokabular, das für den Trail typisch ist, weil es aus dem dort gebräuchlichen Jargon stammt.
Es hat hier einfach keinen Sinn, diesen Spezialwortschatz krampfhaft ins Deutsche zu übersetzen, nicht nur, weil es sich mitunter dämlich anhört, aber auch deshalb, weil diejenigen Leser, die daran interessiert sind den Appalachian Trail selbst zu wandern, den Trail-Jargon im Originallaut kennen sollten.
Auch Pflanzen und Tiere werden öfter im englischen Wortlaut genannt, denn kein Mensch wird einem in den Appalachen begegnen, der Flora und Fauna auf Deutsch benennt, einmal abgesehen davon, dass es um ortstypische Tiere und Pflanzen geht, die ich noch nie in Deutschland gesehen habe, um einmal eine Auswahl zu nennen: Blacksnakes, Gartersnakes, Spotted Newts, Mayapples, Trillium, Crested Trillium, Bottle Gentian, Mountainlaurel, Springbeauties, Virginia Creepers, Poison Ivy ...

Keines der beiden Bücher hat den Anspruch, einen Wanderführer zu ersetzen – so möchten auch insbesondere Informationen, die ich im Text zu Hostels oder Serviceleistungen entlang des Trails gebe, als individueller Erfahrungsberichtsteil verstanden werden. Ob es eine Einrichtung/Serviceleistung aktuell noch entlang des Trails gibt, muss anhand der neuesten Ausgaben offizieller Handbücher zum Appalachian Trail geprüft werden.
Was die beiden Bücher ebenso nicht bedienen möchten, ist das zurzeit populäre Genre: große Wanderung plus Nabelinnenschau mit womöglicher Selbstfindungsgeschichte.

Eine Weitwanderung ist per se keine Pilgerreise, bei der neben den religiösen Aspekten eine Selbstreflexion durchaus Motivation und Thema sein kann. Zum anderen muss eine Weitwanderung auch nicht zwingend zu einem Selbstfindungstrip werden, um lohnenswert zu sein und die Berechtigung zu erhalten, erzählt zu werden.
Es gibt tatsächlich recht viele Leute, die sich auf einem Weitwanderweg einfinden, einfach, weil sie diesen Wanderweg laufen und die Landschaft mit Drum und Dran erleben wollen, ohne, dass sie unterwegs irgendwelche Baustellen mit sich selbst und ihrem Leben aufzuarbeiten hätten oder nach innerer Wandlung suchten.
Außerdem ist Weitstreckenwandern so, wie man es mit zeitlich begrenztem Visum als Nicht-US-Bürger in den USA zwangsläufig betreiben muss, wenn einer der großen Trails in Gesamtstrecke das Ziel ist, ein körperlich anstrengendes und eher athletisches Unterfangen, bei dem man einfach gar nicht die nötige Muße, geschweige denn Kraft zu einer Selbstreflexion mit möglicher Katharsis hat.

Es gilt, monatelang im Schnitt 10 bis 13 Stunden pro Tag anstrengende Etappen mit Tourenrucksack durch die Berge zu wandern, dabei ein Zeitfenster zu beachten – da ist man nicht mehr imstande, sich auf bahnbrechende innere Wandlungen zu konzentrieren, von denen hinterher groß berichtet werden kann.
Während der Wanderung werden täglich noch viele Photos gemacht, dazu Notizen zu Wetter, Temperatur und diversen Örtlichkeiten, außerdem zu Anekdoten mit anderen Wandernden, Erfahrungen mit Wildtieren und dergleichen mehr.

Obwohl ich eine leidenschaftliche Leseratte bin, war ich nach einem Wandertag nicht mehr in der Lage, mich im Camp entspannt auf ein Buch zu konzentrieren. Die kurzen Einträge in Shelterlogs waren das Maximum.
Ein Buch, das ich noch anfangs bei meiner ersten Wanderung auf dem Appalachian Trail dabeihatte, weil ich dachte, abends im Schlafsack Lesestoff zu benötigen, habe ich bis Hiawassee ungelesen mitgetragen, wo ich es dann aus dem Rucksack entfernte, denn ich war schlichtweg zu müde, um mich geistig noch einem Buch widmen zu können.
Es war *A Tramp abroad* von Mark Twain, was an sich sehr unterhaltsame und angenehm zu lesende Lektüre ist. Wenn man sich nach einer Tagesetappe Wandern nicht einmal mehr auf Mark Twain konzentrieren kann, dann dürfte zur Gesamtverfassung am Ende eines Trekkingtages alles gesagt sein.
Diejenigen Erfahrungsberichte, die Selbstfindungsthematiken behandeln, sind von Personen, die genügend Zeit hatten, ihren Trip, wenn auch mit Anfangsschwierigkeiten aber dennoch,

mit relativer Muße zu bewerkstelligen; die keinen US-Long-Distance-Trail in einer Saison komplett gewandert sind und auch keine Visumsbeschränkungen für die gesamte Wanderung zu beachten hatten, sondern so unterwegs waren, dass es nicht wirklich eine Rolle spielte, wann man irgendwo ankam.
Das sind gänzlich andere Voraussetzungen.

Mit einer Ausnahme, von der im Buch (Teil I) noch die Rede sein wird, habe ich auf dem Appalachian Trail tatsächlich in englisch geflucht, geschimpft und auch das reiche Sortiment amerikanischer Kraftausdrücke ausgiebig genutzt.
Man ist knapp sechs Monate in Amerika, spricht von früh bis spät englisch, liest englische Texte, schreibt Kommentare auf englisch in die Logbücher der Campstellen; das Deutsche wird zwangsläufig zur Nebensache – sogar auf so krasse Weise, dass ich, als mich ein Amerikaner fragte, was 'blanket' auf deutsch hieße, und gemeint war in dem Zusammenhang nicht die Wolldecke, sondern die Bettdecke, erst einmal völlig perplex war, weil mir das Wort Bettdecke nicht einfallen wollte, also sagte ich ihm, das sei ein Federbett ...
Wenig hilfreich war, dass mir in dem Augenblick auch noch die bekannte Wilhelm-Busch-Illustration aus *Max und Moritz* vor dem geistigen Auge schwebte, in der die Spitzbuben die Tüte Maikäfer unter das aufgeplusterte Plumeau kippen.

In der Hoffnung, dass der Mann sich das nicht gemerkt hat und nun denkt, Bettdecke hieße grundsätzlich Federbett im Deutschen,
verbleibe ich mit einem *Happy Trails!*

Mittenwald, im Februar 2017

Alpine Strider GA – ME '07
ME – GA '08

Herzlichen Dank - Thank y'all, folks!

Wie schon eingangs berichtet, ist es einem inspirierenden Klassentreffen mit Lehrern und Mitschülern aus meiner Münchner Realschulzeit zu verdanken, dass Tags darauf die ersten Seiten zu diesem Buchprojekt entstanden, das ich längst schon gar nicht mehr verwirklichen wollte. Daher gilt mein besonderer Dank *meinen Klassenkameradinnen und -kameraden aus der Klasse 8 bis 10g der Städtischen Wilhelm-Busch-Realschule in München und den Lehrkräften*, die uns in dieser Zeit unterrichtet haben, von denen auch einige an diesem sehr netten Abend zugegen sein konnten, für den zündenden Input, wie auch immer das geschehen sein mag – *you guys simply are the "bestest" ever!*

Ein ganz dickes Vergelt's Gott geht an *Eugen Bauer*, einem sehr lieben Nachbarn, der sich noch vor etwas über einem Jahr so rührend Mühe gegeben hatte, helfend darüber nachzusinnen, wie ich das Buchprojekt vielleicht doch noch anpacken könnte – *Herr Bauer, jetzt ist es also doch noch vollbracht!*

Im selben Maße möchte ich mich bei meiner ehemaligen Tiroler Nachbarin *Maria* vom Raineck bedanken, die mich unermüdlich anstupste, wenn sie mich im Ort traf, was denn das Buch mache – *Maria, Dein unerschütterlicher Glaube an dieses Projekt, das ich schon längst zu Grabe getragen hatte, hat sich letztlich eben doch ausgezahlt: Do isches!*

Laurie Potteiger from the ever helpful and nice staff of the *Appalachian Trail Conservancy* Headquarters at Harpers Ferry deserves an extra big Thanks a bunch for providing me with the latest updates on the Trail and helping me kindly in obtaining copyright permission for photos I needed very badly in my history chapter on the AT – *this book would not be the same without your great help, Laurie! Thank You so very much and a heartfelt Happy Trails to y'all in Harpers Ferry!*

Last but not least hat mich auch mein Ehemann *Detlef* tatkräftig unterstützt, indem er praktisch die gesamte Heimzentrale am Laufen hielt, als ich nach der überraschenden Wende mit diesem Buchprojekt aus drängender Zeitnot von der Computertastatur nicht mehr wegkam und vollkommen in einer parallel laufenden Trailwelt abtauchte – *vielen, vielen Dank für Deine große Hilfe und Dein Verständnis!*

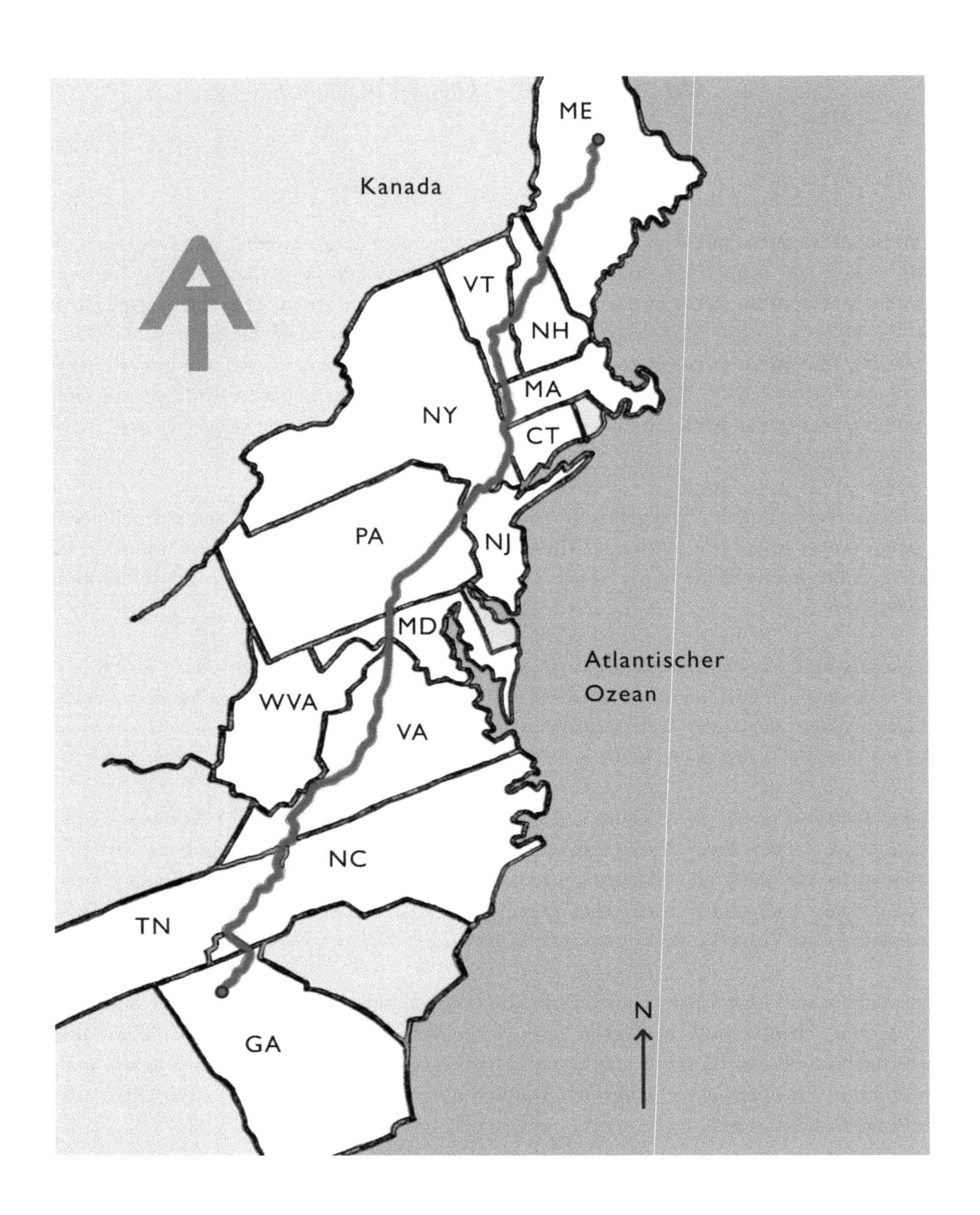
ME
Kanada
VT
NH
MA
NY
CT
PA
NJ
MD
Atlantischer
Ozean
WVA
VA
NC
TN
GA
N

*"The ultimate purpose of the Appalachian Trail will be:
To walk. To see. And to see what you see."*

~ Benton MacKaye

["Der letztendliche Zweck des Appalachian Trails soll sein:
Zu laufen. Zu sehen. Und zu sehen was man sieht."]

"Now the one thing about the whole trek that caused the most comment - my traveling alone [...] *For my part, I preferred it so. Before the war, there were two of us who trailed together, and we had our dreams, as many others have had, of hiking the Appalachian Trail some day. But, Iwo Jima was the end of life's trail for him, leaving me to travel alone.
For him, I learned most of my woodcraft and my abiding love of all outdoors. Walter Winemiller was a partner such as one may have only once in life, and no incentive could have been stronger to carry me over the long high Trail than remembering we always wanted to hike it together."*

~ Earl Vincent Shaffer, 1949, in *Appalachian Trailway News*

["Nun, die eine Sache über meinen Trek, die die meisten Kommentare veranlasste – mein Alleinwandern [...] Ich für meinen Teil zog dies so vor. Vor dem Krieg, da gab es zwei von uns, die zusammen unterwegs waren, und wir hatten unsere Träume, so wie sie viele Andere gehabt haben, eines Tages den Appalachian Trail zu wandern. Doch Iwo Jima war das Ende des Lebenswegs für ihn, sodass ich zurückblieb um alleine weiterzuziehen.
Seinetwegen erlernte ich die meisten meiner Fertigkeiten für draußen und entwickelte meine dauerhafte Liebe für alles in der freien Natur. Walter Winemiller war ein Partner, wie man ihn nur einmal im Leben haben kann, und kein Ansporn hätte größer sein können, mich über diesen langen, hohen Trail zu tragen als die Erinnerung daran, dass wir ihn immer zusammen wandern wollten."]

Aussicht von Wayah Bald mit anrollendem Gewitter und dunstige Bergwälder, North Carolina; April 2007

"You've come a long way, baby, when you realize
it ain't what you've bought, it's what you're made of."

~ Lynn Setzer,
A Season on the Appalachian Trail

["Du hast es weit gebracht, Schätzchen, wenn dir klar wird,
dass es nicht darauf ankommt, was du hast, sondern darauf, was in dir steckt."]

April 2007, North Carolina

"–You Sonofabitch!!!" – zwei Thru-hiker vor mir drehten sich erschrocken um, als ich in einem plötzlichen Wutanfall die Nerven verlor und drauf und dran war, mit meinen Trekkingstöcken auf das Gebüsch neben mir einzudreschen, weil mein Regenponcho, den ich über den Rucksack drapiert hatte, zum x-ten Male an herausstehenden Ästen hängenblieb und diesmal heruntergerissen wurde.
Nur der Bruchteil einer Sekunde, in dem ich aus dem linken Augenwinkel den Gesichtsausdruck des Hikers aus Vermont sah, der unmittelbar vor mir auf dem Trail unterwegs war, rief mich augenblicklich zur Räson.

Zu diesem Zeitpunkt hatte ich bereits mehrere Wochen auf dem Appalachian Trail zugebracht, in einem sich wiederholenden Wechselbad aus freudiger Überraschung und restloser Erschöpfung.
Ich hatte Sonne, Regen, Nebel, Schneefall mit Graupel und eisige Frostwinde beim Wandern und beim Übernachten im Freien erlebt, hatte eines Morgens mein langärmliges Ersatzshirt an der rechten Schulterpartie von Mäusen zu Konfetti verarbeitet in meinem Rucksack vorgefunden, wusste, wie es sich anfühlt, mit jedem Zusatz-Kleidungsstück am Körper im Schlafsack zu liegen plus Zelt als Decke darüber und dennoch eine schlaflose, frostige Nacht in den Bergen

zu verbringen, in der man vor Kälte hin- und herrollt, und seit den Great Smoky Mountains war ich ohne funktionierenden Wasserfilter unterwegs, dessen UV-Lichtlampe der frostigen Nachttemperaturen wegen wohl den Geist aufgegeben hatte.
Vor allem aber hatte ich einen grotesk überpackten Trekkingrucksack 269 Meilen steil bergauf, steil bergab von Georgia bis hierher geschleppt, etwa fünf Meilen südlich vor Hot Springs, der ersten sogenannten Trailtown, durch die der Appalachian Trail direkt hindurchführt.

Nachts war ein Regenschauer über die Berge gezogen. In der Früh beim Aufwachen stellte ich wenig erfreut fest, dass Wasser in mein Zelt eingedrungen war und neben meiner Schlafmatte kleine Pfützen gebildet hatte. Beim Zusammenpacken wusste ich aus leidiger Erfahrung der letzten Wochen, dass das nasse Zelt ohnehin mehr wiegt als sonst und ärgerte mich darüber, dass ich ein schwereres, nasses Zelt mitzuschleppen hatte, das auf einmal nicht mehr regendicht war. Hinzu kamen die ohnehin schmerzenden Schultern vom Gewicht des Rucksacks, die seit dem Start in Georgia noch immer ein unangenehmer, ständiger Begleiter dieser Wanderung waren.
Entsprechend ungeduldig war ich, so schnell wie möglich diese vermaledeiten letzten Meilen in Richtung Stadt hinter mich zu bringen, denn es lockten in geradezu paradiesischer Vorstellung: eine warme Dusche, frische Kleidung, ein Hostel, leckeres Essen und eine hochwillkommene Pause vom Rucksackschleppen. Der letzte Übernachtungsstopp mit Erholungspause lag acht Tage zurück.
Kurz: mein Geduldsfaden war extrem dünn, meine Laune im Keller und ich brauchte dringend einen Erholungstag. Außerdem Seam sealer für die Zeltnähte ...

Das war nun nicht das erste Mal, an dem mir der Geduldsfaden merklich riss – zweieinhalb Wochen zuvor, kaum, nachdem wir in einer losen Gruppe ziemlich ausgepumpt den steinernen Feuerturm auf Wayah Bald erreicht hatten, brach ein Gewitter los mit Donner und einzelnen Blitzen, sodass wir zusehen mussten, so schnell es nur irgend möglich war, vom Berggipfel wieder herunterzukommen, ohne Verschnaufpause von unseren Trekkingrucksäcken, die an Rücken und Schultern noch heftiger zerrten, während wir panisch den steilen, glitschigen Trail hinunterliefen.
Der Trail indes hatte anderes mit uns vor: statt stetig bergab zu führen, in die vermeintliche Sicherheit, ging es nach einigen Kehren wieder munter bergauf, dann wieder etwas bergab und erneut bergauf; das Ganze etwa vier Mal, während es über unseren Köpfen weiterhin donnerte, der Regen intensiver wurde und die Meilen zum Camp sich wie Kaugummi zogen – ein ganz klarer Fall von Murphy's Law in solchen Situationen.

Nach einer der Bergkuppen schließlich hatte ich genug, rammte meine Teleskopstöcke in den Boden und brüllte entnervt in den Bergwald hinein, was das für ein unmöglicher Trailverlauf sei, der einen von einem Berg nicht auch auf direktem Wege wieder hinunterführen könne, ohne dass man erst noch über mehrere andere Berge hinübermüsse, gefolgt von einer Salve wütender Flüche.
Auch diesmal war in der Gruppe vor mir jener Mensch aus Vermont unterwegs, der die Gegebenheiten des Trails mit der stoischen Ruhe eines Neu-Engländers ertrug. Mit ebendieser Ruhe drehte er sich zu mir um und streckte mir wortlos ein rotweiß-gestreiftes, rundes Pfefferminzbonbon entgegen.
Hell, yeah –
Ich wollte toben wie ein Schachtelteufel (vorzugsweise ohne Publikum) und bekomme Pfefferminzbonbons ...

– *Willkommen auf dem Appalachian Trail!*

Willkommen im echten Thru-hiker-Leben und vor allem: willkommen bei den berühmt-berüchtigten PUDS and MUDS, Thru-hiker-Ausdruck für *pointless ups and downs* und *mindless ups and downs*, die einem auf der gesamten Wegstrecke zwischen Georgia und Maine in schöner Regelmäßigkeit begegnen, aber bei allem Knurren und Murren halt doch bewältigt werden müssen.
Denn selbstverständlich führt der Trail mit wenigen Ausnahmen stets über die Berge hinüber, nicht etwa daran vorbei. Und noch etwas ist gewiss: Die Appalachen sind ein Gebirge, der Trail ist sehr lang, und es kommt immer wieder ein Berg, und noch einer, und dahinter dann noch einer ...

-2-

Schuld an der ganzen Misere oben war selbstverständlich nur ein Buch, das eben diesen Trail zum Thema hatte und mir zufällig in die Hände geraten war, was den Funken augenblicklich zündete – zwar mit völlig falschen, abenteuerlich-verklärten Vorstellungen von der ganzen Sache, aber dafür umso heftiger.
Am liebsten hätte ich mich nämlich noch während der Lektüre augenblicklich auf und davongemacht, um mich kopflos mit begeistertem Tatendrang in ein Thru-hike-Abenteuer zu stürzen.

Nun war ich allerdings im Sommer 2001, als ich dieses Buch las, weder zeitlich noch sonst irgendwie in der Lage, ein solches Vorhaben auch nur annähernd zu planen, ganz zu schweigen davon, das Ganze in die Tat umzusetzen.

Was mir damals recht schnell Kopfzerbrechen bereitete, ist allgemein nicht ganz ohne, denn im Vorfeld stehen dem Vorhaben einige Hürden im Weg:
Der Appalachian Trail ist um die 3.500 Kilometer lang, erstreckt sich zwischen seinen beiden Endpunkten in Georgia und Maine über 14 Bundesstaaten größtenteils auf dem Rückgrat der Appalachen, einer eher bewaldeten Gebirgskette im Osten der USA.
Diese Strecke läuft man nicht in vierzehn Tagen oder gar wenigen Wochen gesetzlich gewährten Jahresurlaubs – man braucht Monate dazu; im Schnitt zwischen fünf und sechs davon.
Welcher Arbeitgeber klatscht also vor Freude in die Hände und gewährt einem ein halbes Jahr unbezahlten Urlaub, damit man sich in den USA die Hacken ablatschen kann, während zwischenzeitlich im Betrieb die Kollegen herhalten sollen oder gar eine befristet eingestellte Ersatzkraft gefunden werden muss, die in der Abwesenheit die beruflichen Aufgaben übernimmt?
Und welche beruflichen Karrieren erlauben es einem in den heutigen Zeiten überhaupt noch, ein halbes Jahr lang auszusteigen und auf Erlebnistour zu gehen?
Wie bestreitet man in seiner Abwesenheit laufende Kosten an Miete, Strom, Telefon und anderen Posten, überbrückt die lohnlose Zeit und kommt für die Kosten vor, während und gegebenenfalls nach der Langstreckenwanderung auf?
Gerade diese Punkte sind grundsätzliche Probleme, die jeder lösen muss, ob Amerikaner oder Ausländer, bevor es losgehen kann.

Daher gibt es auf dem AT, wie er kurz und bündig genannt wird, neben den üblichen Ausnahmen einige typische Gruppierungen unter den Thru-hikern:
Einmal sind da die jüngeren Leute, die entweder gerade ihren College- oder ihren Studienabschluss an der Universität gemacht haben, beruflich/familienbedingt noch nicht eingespannt sind und daher den günstigen Zeitpunkt nutzen, den Trail zu wandern. Dann gibt es eine Gruppe ehemaliger US Army Soldaten, die ihre Dienstzeit zu Ende gebracht haben und sich nun mit armeegestählter Disziplin auf dem Trail einfinden – und zwar in unterschiedlichen Altersklassen.
Außerdem gibt es eben die gemischte Gruppe derjenigen, deren Arbeitsverhältnis gekündigt wurde oder die selbst gekündigt haben, um sich ihren Traum, diesen Trail zu wandern, dennoch zu erfüllen, und diejenigen, die entweder bereits in Rente sind und/oder sich auf einen

Partner zuhause verlassen können, der in der Zwischenzeit die Heimzentrale am Laufen hält. Die letztgenannte Kategorie ist auch meine. Und mir ist klar, dass das ein großer Glücksfall ist, der mir praktisch in den Schoß gefallen war. Was noch im Jahr 2001 nicht einmal denkbar gewesen wäre, war einige Jahre später mit einem Mal kein Thema mehr.

So flog ich Ende März 2007 nach Atlanta, Georgia, wo mich ein sichtlich entspannter schwarzer Beamter der US-Einwanderungsbehörde fragte, wozu ich mein B2-Visitor's Visa ganze sechs Monate ausreizen wollte. Ich erklärte ihm aufgeregt, dass ich vorhatte, den Appalachian Trail zu wandern.
"The Appalatchin *Trail – what's that?"* fragte der gutmütige Beamte im breiten Southern Drawl der Südstaaten zurück. Ich gab ihm eine kurze Beschreibung, um was es dabei ging, worauf er mir freundlich belustigt entgegnete: *"And that's your idea of vacation in the States?"*, während er meinen Pass abstempelte und mir den vollen Bewilligungs-Zeitraum handschriftlich ins Visum eintrug.

Ich war also im Süden angekommen, in den Südstaaten der USA.
Dort heißen die Appalachen nicht *Appalayshins*, um die Aussprache ohne phonetische Zeichen der Lautsprache aus Wörterbüchern wiederzugeben: im Süden, und zwar bis zur Mason-Dixon-Line zwischen Maryland und Pennsylvania, wo die Grenze der Süd- und Nordstaaten verläuft, spricht man von den *Appalatchins*, mit Betonung auf dem letzten a. Erst nördlich der Mason-Dixon-Line werden die *Appalatchins* sprachlich zu den *Appalayshins*.

Neben Unterschieden in der Aussprache zwischen Nord und Süd wartet übrigens noch eine sehr charmante Überraschung im Smalltown-Amerika der Südstaaten auf weibliche Personen, wenn man auf Postämtern, in Geschäften oder Restaurants zugange ist, denn dort wird man üblicherweise ungeachtet seines Alters mit einem freundlichen: *"How are you doing today, honey?"* begrüßt oder angesprochen mit: *"Is that all for today, sugar?"*, alternativ auch: *"You have a very nice day, love!"*.
Man gewöhnt sich an diese angenehm schmeichelnden Anredeformeln dermaßen, dass es einem nördlich der Mason-Dixon-Line schon in Pennsylvania sogleich richtig unangenehm auffällt, wenn kein 'love', 'sugar' oder 'honey' mehr der Anrede folgt, obwohl die Menschen dort nicht unfreundlicher sind.
Aber da beginnt eben der Norden, wo solche samtweichen Zusätze im verbalen Umgang miteinander nicht mehr angewendet werden.

"To Benton MacKaye, the Dreamer,
and to the Trail People
who made the Dream come true."

~ Earl Vincent Shaffer, 1948
Widmung seines Buches *Walking with Spring*

["Für Benton MacKaye, den Visionär,
und für die Menschen des Trails
die die Vision wahrgemacht haben."]

The People's Trail – Der Trail der Menschen

Es gibt mehrere Mottos zum Appalachian Trail, die alle zutreffen. Sehr früh macht man bereits beim Walasi-Yi Hostel in Neels Gap, Georgia, Bekanntschaft mit einem großformatigen Willkommens-Banner am Gebäude, auf dem zu lesen ist: *"It ain't about the miles, it's all about the smiles!"*, wenn man vom südlichen Endpunkt auf Springer Mountain nordwärts nach Maine wandern möchte.
Außerdem heißt es, *"It's the People's Trail"* und *"The People are the Trail"*.
All' das ist dieser Trail von seiner Planung in den frühen zwanziger Jahren des letzten Jahrhunderts bis jetzt.

Der Appalachian Trail ist kein Weg, der auf Routen diverser Indianerstämme angelegt worden ist. Den alten Wegstrecken der Indianer durch die Appalachen folgen üblicherweise schon längst geteerte US-Bundesstraßen oder Highways.
Er ist auch nicht der älteste Langstreckenwanderweg der USA – das ist der Long Trail im *Green Mountain State* Vermont, der diesen Bundesstaat auf etwa 273 Meilen von der Grenze Vermont/Massachusetts bis zur Staatsgrenze nach Kanada durchquert.

Doch der Appalachian Trail ist der *Amerikanische Klassiker*: der allererste, staatenübergreifende Supertrail; die Blaupause für weitere Trails dieser Art, die später im Westen und anderswo in den USA entstanden sind.

Das Konzept dafür entsprang der Idee Benton MacKayes, eines Regionalplaners aus Massachusetts, der sehr früh erkannte, dass mit der zunehmend dichter werdenden Besiedlung, die nach der Jahrhundertwende von den Großstädten aus immer weiter an die Ränder der Appalachen drängte und in ihrem Schlepptau die industrielle Erschließung von bisher unberührtem Land mit sich brachte, langfristig ein Problem auf die Menschen zukäme, indem Naherholungsgebiete und Natur unwiederbringlich zerstört würden.
Und so publizierte MacKaye im Oktober 1921 einen Aufsatz im *Journal of the American Institute of Architects* mit dem Titel: *"An Appalachian Trail, A Project in Regional Planning"*, in dem er sein Konzept eines groß angelegten Naherholungsgebiets mit einem durchgängigen Wanderweg in den Appalachen vorstellte, damit die Menschen dem Trubel und Stress der wachsenden Städte entfliehen und sich in geschützter Natur erholen könnten.
Schon 1925 formierte sich die Dachorganisation der Appalachian Trail Conference (heute die Appalachian Trail Conservancy) mit Sitz in Harpers Ferry, West-Virginia, die sich bis heute um den Erhalt und um alle Belange dieses Trails in Zusammenarbeit mit den örtlichen Wandervereinen von Maine bis Georgia kümmert, außerdem mit den US-Forstbehörden und den Verwaltungen der Nationalparks zusammenarbeitet.

Benton MacKayes Idee fand bei vielen Wanderclubs entlang der geplanten Route regen Zuspruch; es wurden der Idee wegen sogar neue Clubs gegründet, die alle dazu beitragen wollten, den großen Trail anzulegen.
In dieser Phase kam ein entschlossener, tatkräftiger Rechtsanwalt aus Maine hinzu, der wesentlich dafür sorgte, dass das Projekt Streckenabschnitt für Streckenabschnitt auch in schwierigen Zeiten bis August 1937 komplett fertiggestellt werden konnte.
Myron Haliburton Avery gilt daher als der praktische Vater des Appalachian Trails, Benton MacKaye als dessen geistiger Vater.

Bemerkenswert ist nicht nur die immense Leistung, in vierzehn Bundesstaaten an unterschiedlichen Wegabschnitten beschäftigt einen durchgängigen Trail neu anzulegen – die einzelnen Etappen sind ja nicht hintereinander in Folge entstanden, sondern entsprechender Umstände geschuldet mal hier mal da fertiggestellt, in New Hampshire, Vermont und Maine streckenweise auch an bereits existierende Wanderwege angeknüpft worden. Die älteste und erste Etappe

Benton MacKaye

Myron H Avery

Benton MacKaye (links) und Myron Avery, Oktober 1931 in Pennsylvania

etwa wurde 1923 im Bundesstaat New York südlich der Bear Mountain Bridge nahe des Hudson River angelegt, die letzte Etappe im August 1937 am Sugarloaf Mountain in Maine. Dieser Trail ist zudem in der Zeit der großen Depression realisiert worden, als auch Amerika mit hoher Arbeitslosigkeit und wirtschaftlichen Problemen zu kämpfen hatte, von Menschen, die aus reiner Begeisterung für die Sache und die Gemeinschaft unzählige Stunden in den Berggebieten von Georgia bis Maine zugebracht haben, um den Appalachian Trail mit seinen Campstellen entlang der gesamten Route zu bauen.

Es gab keinen materiellen Lohn für die Arbeit, aber wohl einen riesigen Gemeinschaftsgedanken, der alle freiwilligen Helfer miteinander verband und bis heute hinter dem Appalachian Trail steht.

Denn bis jetzt werden die Wegstrecken des Trails von freiwilligen Helfern (Trailmaintainers) der einzelnen Wanderclubs entlang der Route unterhalten, markiert und bei Schäden ausgebessert. Es werden kleine Fußbrücken gebaut, umgefallene Bäume am Weg entfernt, Holzbohlen zum Gehen über morastiges Gelände gelegt, bei Campstellen und Sheltern nach dem Rechten gesehen und repariert, was kaputt gegangen ist.

Einer Film-Dokumentation der *National Geographic Society* aus dem Jahr 2008 zufolge sind jährlich mehr als sechstausend freiwillige Helfer auf dem Appalachian Trail zugange, dafür zu sorgen, dass auch der nächste Wanderer einen begehbaren Weg mit ordentlicher Campstelle vorfindet.

Und so ergab es sich beim Traileinstieg am südlichen Ende von Hot Springs, dass ich in der lose zusammengewürfelten Gruppe, mit der ich seit Beginn der Wanderung unterwegs gewesen war, an eben jenem Apriltag in North Carolina, an dem ich zuvor noch einen Busch in Stücke hauen wollte, zum ersten Mal auf eine Crew von Trailmaintainern traf, die sich gerade anschickte, in voller Montur mit allerlei Arbeitsgerät bepackt in entgegengesetzter Richtung zu einem Trailabschnitt zu wandern, den es zu bearbeiten galt.
Die Männer fragten uns sogleich, ob wir von Georgia kämen und gratulierten uns wohlwollend, dass wir die Etappe bis hierher bewältigt hatten. Außerdem erkundigten sie sich, ob uns unterwegs Stellen am Trail aufgefallen seien, an denen etwas gemacht werden müsse. Dem war nicht so. Wir aber bedankten uns bei den Leuten für ihre wertvolle Arbeit, die zwar den Trail nicht flacher, aber uns Wanderern den Weg dennoch angenehmer macht.
Knapp zwei Monate später sollte ich in Virginia auf denselben Leiter dieser Crew von Trailmaintainern treffen, der dort mit einer anderen Gruppe am Trail arbeitete.
Der Mann erkannte mich sofort wieder und erkundigte sich sogar nach den anderen Hikern, die zwar zu dem Zeitpunkt ein bis zwei Wochen hinter mir am Trail unterwegs waren, an die er sich aber auch noch sehr gut erinnern konnte.
Während an jenem Apriltag nahe Hot Springs im Bergwald noch angenehm kühle Tagestemperaturen herrschten, waren es in Virginia bereits sehr hochsommerliche Hitzegrade bei prallem Sonnenschein und allerlei stechender Insekten in der Luft, als die Gruppe gerade dabei war, mit Schaufeln, Spitzhacke und Brecheisen einige größere Felsbrocken zu lockern, um sie vom Trail zu entfernen.

Trailmaintainer-Crew
am AT in Virginia,
Juni 2007

"To Earl Shaffer, of the A.T.,
a man who did it from the one who wrote it.
Benton MacKaye"

im Jahr 1951, auf einer gedruckten Ausgabe seines Artikels von 1921

Walking with Spring – wie das Thru-hiking begann

Zunächst einmal hatten weder Benton MacKaye noch Myron Avery je daran gedacht, dass es Leuten in den Sinn kommen könnte, den Appalachian Trail in einem Stück von einem Endpunkt zum anderen zu durchwandern. Dazu war der Trail auch gar nicht angelegt worden.
Als daher im Jahr 1948 ein junger Mann aus Pennsylvania die Appalachian Trail Conference (ATC) in Harpers Ferry kontaktierte, um einen Thru-hike von Georgia nach Maine anzuzeigen, wollte Avery, der zu dieser Zeit den Vorsitz der ATC innehatte, ihm schlichtweg nicht glauben.
Earl Vincent Shaffer jedoch legte sein Journal mit den täglichen Streckenabschnitten vor und einigen Photos, die er unterwegs gemacht hatte.
Avery allerdings war noch immer recht skeptisch und ließ den jungen Mann eine peinlich genaue Befragung nach den diversen Etappen durchlaufen, einem 'grilling' wie er es später selbst bezeichnete, denn auch wenn er den Trail selbst nicht an einem Stück gewandert war, so hatte Avery dennoch jeden einzelnen Abschnitt des Appalachian Trails bei der eigenhändigen Weglängen-Vermessung und große Teile beim Bau einzelner Trail-Abschnitte selbst erwandert und kannte die Örtlichkeiten.
Zeitgleich mit der Befragung Shaffers trafen diverse Berichte von Leuten entlang des Trails, die den jungen Mann bei seinem Thru-hike getroffen hatten, in Harpers Ferry ein. So konnte Earl Shaffer den skeptischen Vorsitzenden am Ende überzeugen und ist der erste registrierte Northbound Thru-hiker bei der ATC.

|* *Mount* Kathadin versus Kathadin: Der Name dieses Bergs kommt aus der Sprache der Abenaki-Indianer, in der *Kette-Adene* bedeutet: *der größte Berg*, womit das Wort *Berg* im Namen schon enthalten ist und somit in Verbindung mit *Mount* redundant wird.
Dennoch habe ich mich dazu entschieden, von *Mount Kathadin* zu sprechen, denn wem ist Abenaki-Indianisch so geläufig, um den Berg ständig doppelt genannt zu hören?

Earl V. Shaffer auf Baxter Peak, Mount* Katahdin in Maine; August 1948

© Appalachian Trail Conservancy, Harpers Ferry

Earl Shaffer verfasste sehr zügig noch im selben Jahr ein Buch über seine Wanderung des Appalachian Trails mit dem Titel *"Walking with Spring"*, das zur Inspiration tausender nachfolgender Thru-hiker werden sollte, oder solcher, die es zumindest versuchen wollten, den Trail in ganzer Länge zu wandern.

Sein Buch widmete er Benton MacKaye und den Menschen, die die Idee MacKayes verwirklicht haben. Zeit seines Lebens blieb Earl Shaffer mit dem Appalachian Trail verbunden und arbeitete ehrenamtlich an Projekten am und um den Trail mit, wobei er sich u.a. auch erfolgreich dafür einsetzte, bundesstaatenübergreifenden Schutz für die Landschaftsgebiete zu erlangen, durch die der Appalachian Trail führt.
Dreißig Jahre nach der Veröffentlichung seines Aufsatzes überreichte MacKaye Earl Shaffer persönlich eine gedruckte Kopie vom Oktober 1921, die er mit einer handschriftlichen Widmung versehen hatte: *"Für Earl Shaffer vom A.T., dem Mann der tat, wovon der andere schrieb.
Benton MacKaye."*

Schon bald folgten den Spuren Earl Shaffers weitere Thru-hiker: Gene Espy aus Georgia im Jahre 1951, ebenso nordwärts, im selben Jahr außerdem Chester Dziengielewski aus Connecticut als erster Southbounder in Nord-Süd-Richtung von Maine nach Georgia.
Zu diesen Pionieren gesellte sich eine äußerst entschlossene und zähe Person, die von Shaffers Thru-hike gelesen hatte, was für sie der Auftakt zu einem Lebensabschnitt mit mehreren Weitwanderungen in den USA werden sollte:

"*For some fool reason they always lead you right up over the biggest rock to the top of the biggest mountain they can find.*" ~ Emma 'Grandma' Gatewood

["Aus irgendeinem närrischen Grund führen sie einen immer genau über den größten Felsen auf den Gipfel des größten Berges, den sie finden konnten."]

Emma 'Grandma' Gatewood

Emma Gatewood aus Ohio hatte 1949 zufällig ein Exemplar des *National Geographic Magazine* in die Hände bekommen, in dem ein Bericht über Earl Shaffers Thru-hike publiziert war.
Im Jahr 1955 schließlich, nach einem äußerst arbeitsreichen Leben als Farmersfrau, Mutter von elf Kindern und Großmutter von 24 Enkeln, beschloss sie im Alter von 67 Jahren, es sei nun an der Zeit, einmal etwas für sich zu tun, schnappte sich einen Duschvorhang als Zeltersatz, eine Wolldecke, einen Regenmantel und einen Stoffbeutel mit Proviant und machte sich in Jeans und Leinenturnschuhen auf den Weg, zur ersten Thru-hikerin, ja, lange bevor es dieses Konzept überhaupt gab, sogar zu ersten Ultralight-Hikerin zu werden, die den Appalachian Trail in einer Saison in ganzer Länge laufen würde.

Zwei Jahre später wanderte Emma erneut den gesamten Trail, und danach mit noch betagterem Alter zu Beginn der sechziger Jahre ein drittes Mal in Etappen.
Emma Gatewood ist es zu verdanken, dass der Appalachian Trail nach kriegsbedingter Vernachlässigung wieder mit verstärktem Augenmerk hergerichtet wurde, denn diese entschlossene Frau ließ nicht locker, darauf hinzuweisen, wo Trailmaintenance nötig war.

Mit Grandma Gatewood als Pionierin kamen auch die Frauen als Thru-hiker auf den Appalachian Trail. Der Anteil weiblicher Thru-hiker, die den AT in ganzer Länge wanderten, blieb bis zur Jahrtausenwende konstant bei 19 Prozent gegenüber 81 Prozent männlicher Hiker. Mit der Jahrtausendwende bis zum aktuellen Zeitpunkt haben sich die Zahlen bei etwas über 25 Prozent eingependelt.

-2-

Seit diesen Pionierzeiten haben sich etliche Gegebenheiten um und am Trail bedeutend geändert – so sind Trailabschnitte von Straßen oder in der Nähe von Ortschaften in die Berge umgeroutet worden, um den Wandernden mehr Berg- und Naturerlebnisse zu bieten.
Nach wie vor wird der Trail zwar mit viel unentgeltlich geleistetem Einsatz gepflegt, doch daneben müssen Geldmittel aufgetrieben werden, damit der Appalachian Trail auch weiterhin geschützt und insgesamt erhalten werden kann: zurzeit sind das acht Dollar und sechs Cent pro Trailmeile am Tag.
Hierbei kniet sich die Appalachian Trail Conservancy unermüdlich in diese nie endende Aufgabe, die benötigten Finanzen zu erwirtschaften, die nur zum Teil durch Mitgliedsbeiträge und sonst durch viele private Spenden zusammengetragen werden.

Die stetigen Entwicklungen bei der Outdoorausrüstung machen es seit Jahren möglich, dass immer mehr Menschen mit leichterer und besserer Ausrüstung längere Touren in den Bergen unternehmen können, ohne mit den Schwierigkeiten zu kämpfen zu haben, die Langstrecken-Wanderpioniere zweifellos durchstehen mussten.
Und so finden sich jährlich am Appalachian Trail neben den Tageswanderern und solchen, die übers Wochenende oder bis zur Dauer von sieben Tagen auf dem Trail wandern, stetig steigenden Zahlen in den Tausendern von hoffnungsvollen Thruhike-Aspiranten ein, die in den März- und Aprilwochen am südlichen Endpunkt in Georgia ihre Wanderung nach Maine beginnen möchten. Zwar stellen Tageswanderer, Wochenendausflügler und Wanderer, die bis zu einer Woche am Trail unterwegs sind, nach wie vor 99 % der Wandernden, die den Appalachian Trail nutzen, doch gerade die großen Zuströme von Wanderlustigen, die sich an bestimmten Trailabschnitten und zu bestimmten Jahreszeiten ergeben, sind ein Grund zur Sorge, denn die Zahlen steigen gemäß jährlicher Erhebung der ATC und auch der Nationalpark-Verwaltungsbehörden weiterhin an.
Besonders empfindliche Punkte betreffen hierbei den Naturschutz und -Erhalt um und am Trail, aber auch eine merkliche Überlastung von Campstellen entlang des Trails, deren Kapazität solchen Mengen an Wanderern nicht gewachsen ist.

Wie überall auf Wanderwegen kommt es auch auf dem Appalachian Trail zu Abfallproblemen, sei es, dass jemandem unterwegs vereinzelt etwas aus der Tasche fällt, sei es, dass die Dinge absichtlich entlang des Wegs oder bei Campstellen entsorgt worden sind. Man macht sich keinen Begriff, was die Leute in die Berge mitschleppen, um es dann am Trail oder bei einer Campstelle zurückzulassen: von gusseisernen, schweren Bratpfannen, Töpfen, Zeltplanen und diversen Kleidungsstücken über gewöhnlichen Verpackungsmüll bis hin zu leeren Glasflaschen, Plastikcontainern und Dosen ist alles vertreten.

In Georgia sind wir bei einer Wegkehre an einem taubenblauen Igluzelt vorbeimarschiert, das zur fortgeschrittenen Mittagszeit noch stand, was ziemlich ungewöhnlich ist, denn um diese Zeit ist es noch zu früh, es für den Tag gut sein zu lassen und viel zu spät, als dass man noch schliefe.
Andere Wanderer, die später am Abend in unser Camp kamen, berichteten, dass das Zelt auch noch aufgebaut mitten im Bergwald gestanden hatte, als sie an der Stelle vorbeiliefen. Die Vermutung liegt nahe, dass da jemand sein Zelt einfach zurückgelassen hat, um es nicht wieder aus den Bergen hinaustragen zu müssen.
Wieder sind es freiwillige Helfer, die streckenweise den Trail mitsamt der Campstellen abwandern, um anderer Besucher Hinterlassenschaften aufzusammeln.
Diesen Menschen ist es zu verdanken, dass man zunächst einmal von diesen Dingen fast nichts bemerkt, und erst, wenn einem am Trail solche Helfer mit prallem Rucksack und Mülltüten entgegenkommen, erhält man vor Ort Einblicke in die traurige Problematik.

Was die Auslastung des Trails betrifft, gibt es vor allem drei Abschnitte, an denen es jedes Jahr erneut zu starkem Wandererandrang kommt.
Das ist gleich zu Beginn der Einstiegstrail im Amicalola Falls State Park in Georgia, den man üblicherweise nimmt, um zu Springer Mountain und dem südlichen Endpunkt des Appalachian Trails zu gelangen, wo der Thru-hike Richtung Maine beginnt.
Dort ist zum Start der jährlichen Thru-hike-Saison im März und April jeden Tag Großbetrieb, und selbst wenn sich die Zahlen der Wanderer im Laufe der folgenden 600 Meilen verringern, so hat man in den ersten Wochen sehr viele Menschen auf dem Trail, an den Campstellen und in den nahegelegenen Städten, Hostels und anderen Unterkünften.
Die nächste Sammelstelle folgt bald mit dem Great Smoky Mountains Nationalpark in North Carolina/Tennessee, wo die Wandererblase der Thru-hiker zum Zeitpunkt der Springbreakferien mit College- oder Unistudenten zusammentrifft, die ihre freien Tage vom Campus mit Familie oder Freunden zum Wandern in den Smokies nutzen wollen, wobei dieser National-

park ohnehin schon den größten Besucherandrang von allen Nationalparks der USA zu bewältigen hat mit zurzeit mehr als neun Millionen Besucher jährlich.
Auch hier konzentrieren sich die Wanderer im Übermaß an den einzelnen Campstellen, die sich zu dieser Zeit unangenehm überfüllen. Beim Great Smoky Mountains Nationalpark kommt hinzu, dass die Parkregeln kein wildes Campen außerhalb der extra angelegten, offiziellen Campstellen erlauben und sogenannte Ridgerunner als Parkpersonal eingesetzt sind, die neben anderen Aufgaben im Park kontrollieren, ob die Campingregeln eingehalten werden.
In den White Mountains in New Hampshire schließlich trifft man in den Sommer- und frühen Herbstmonaten noch einmal auf sehr große Wandererzahlen. Wenn man als Thru-hiker in diese Berge kommt - wobei es meiner Erfahrung nach keinen Unterschied macht, ob man nun Richtung Maine oder Richtung Georgia unterwegs ist - sind gewöhnlich auch viele Tages- oder Mehrtageswanderer auf den Wegen unterwegs, was einem ähnlich wie in den Smokies am Trail selbst zunächst noch gar nicht so auffällt, weil sich untertags alles angenehm verläuft. Allerdings gelten auch in den White Mountains strikte Campingregeln, die es nicht gestatten, außerhalb der extra dafür angelegten Campstellen oder der Hütten des Appalachian Mountain Clubs zu übernachten, sodass sich am späten Nachmittag mit einem Mal sehr viele Leute in den Berghütten oder an den Campstellen tummeln.

Schaukasten in Mount Rogers Outfitters, Damascus, Virginia

"It takes more head than heel to walk the Appalachian Trail" –

Man braucht mehr Kopf als Schuhsohlen, um den Appalachian Trail zu laufen.

~ Emma Gatewood

"The Trail is crazy. Why do I have to go to the top of every mountain?
Why can't I go around it to get to the shelter?"
~ *Squirrel* in Lynn Setzer: *A Season on the Appalachian Trail*

["Der Trailverlauf ist verrückt. Warum muss ich auf jeden Berggipfel hinaufsteigen?
Warum kann ich nicht [einmal] daran vorbeiwandern, um zum Shelter zu gelangen?"]

Der Appalachian Trail kreuz und quer

Der *Appalachian National Scenic Trail*, so sein offizieller Name, verläuft zwischen dem Gipfel von Springer Mountain in Georgia und Baxter Peak auf Mount Katahdin in Maine. Auf seinen plus/minus 2.200 Meilen durchwandert man die Bundesstaaten Georgia, North Carolina, Tennessee, Virginia, West-Virginia und Maryland im Süden; Pennsylvania, New Jersey, New York, Connecticut, Massachusetts, Vermont, New Hampshire und Maine im Norden über die Gebirgskette der Appalachen.
Dabei geht es durch zwei Nationalparks, den Great Smoky Mountains Nationalpark in North Carolina/Tennessee und den Shenandoah Nationalpark in Virginia; durch mehrere Nationalforste wie Chattahoochee-, Cherokee-, Nantahala- und Pisgah National Forests, außerdem die Thomas Jefferson- und George Washington National Forests, den Michaux State Forest; man wandert über die Blue Ridge Mountains im Süden und im Norden unter anderem über die Kittatinny- und Tacoma Range, die Berkshires, die Presidential-, Wildcat- und Carter-Moriah Ranges; die Mahoosucs, Saddleback- und Bigelow Ranges.
Die 2.200 Meilen des Trails können von Jahr zu Jahr mal nach unten, mal nach oben hin korrigiert werden, denn noch immer werden Etappen umgeroutet, weil ein Trailabschnitt sich nur geduldet auf privatem Landbesitz befindet und die ATC zwischenzeitlich ein anderes Teilstück erwerben konnte, oder manche Stellen durch zu viel Wanderverkehr sehr gelitten haben, dass die Vegetation dort eine Erholung benötigt, sodass diese Stellen künftig umwandert werden.

Auch wenn 2.200 Trailmeilen nicht genau 3.500 Kilometern entsprechen, kann man ruhig

davon ausgehen, dass man insgesamt mindestens 3.500 Kilometer läuft, wenn nicht sogar 4.000 denn es gibt Seitentrails, die man nutzen muss, um an Wasser oder zu Campstellen zu kommen, ganz zu schweigen davon, dass man in Städten seiner Besorgungen wegen kilometerweise 'offtrail' zu laufen hat, wenn man nicht sogar auf der Landstraße mehrere Meilen zu Fuß zu einer Ortschaft zurücklegt, weil man halt Pech hat beim Trampen.
Bei meinem zweiten Thru-hike ist es mir passiert, dass ich in Maine auf einer wenig befahrenden Landstraße, der East B Hill Road, vom Trail bis zur Ortschaft Andover acht Meilen zu laufen hatte, und zwar bei Regen. Das sind muntere 12,8 Kilometer 'offtrail walking', die man zwar nicht auf dem Appalachian Trail zurücklegt, aber dennoch läuft, denn irgendwann muss man halt doch wieder in eine Ortschaft einkehren, spätestens, wenn der Proviant zur Neige geht.

Markiert ist der Trail durchgängig mit den sogenannten white blazes: weißen, hochkant stehenden Streifen, zwei auf sechs inches groß (etwa 5 auf 15,2 cm), die sich auf Baumstämmen, an Felsen und Holzpfosten, auf Steinhaufen (cairns) oder sogar am Felsboden befinden.
In Pennsylvania hat man große Strecken mit extrem felsigem Trail zu bewältigen, wo man über Felsbrocken-Ansammlungen unterschiedlichster Größen und Neigungswinkel wandert und daher tatsächlich die ganze Zeit auf den Boden schauen muss, wo man seinen Fuß am besten hinsetzt. Dort sind die white blazes oft am Boden, denn die Trailmaintainer der örtlichen Wanderclubs wissen sehr genau, dass Wanderer auf diesen Abschnitten schon aus reinem Selbsterhaltungstrieb die Augen nicht vom Boden nehmen.
Außerdem sind die zahlreichen Felsspalten auch bei Klapperschlangen beliebt, die dort Unterschlupf suchen oder sich auf den Felsen eingerollt in der Sonne aufwärmen.
Der Trailjargon kennt allerdings noch einige weitere Arten von blazes:
Von 'Redblazing' wird gesprochen, wenn man stürzt und Blut auf dem Trail hinterlässt; beim

'Pinkblazing' geht's ums Anbandeln am Trail, und wer 'Yellowblazing' betreibt, ist schlichtweg ein fauler Sack, der mit erhobenem Daumen an US-Bundesstraßen steht und sich per Anhalter trailaufwärts chauffieren lässt, um Etappen auszulassen. (Die Straßenmarkierung auf amerikanischen Straßen ist gelb.)
Den Ausdruck 'Brownblazing' habe ich das erste Mal bei meinem Northbound in Tennessee gehört, und zwar von einem Thru-hiker aus Minnesota, der damit ausdrückte, was sehr bald offensichtlich wurde, dass die Campstellen entlang des AT in Tennessee wenige bis gar keine Plumpsklos hatten und man wohl oder übel in die Büsche ausweichen musste, denn: "*They don't believe in privies here, so you have to do a lot of brown-blazing.*" ~ Sir Privywinks, im April 2007

-2-

Bei allem Spaß mit anderen Hikern und auch am Trail selbst ist der Appalachian Trail vom Anspruch her kein Pilgerweg und auch von der Art nicht vergleichbar mit dem Camino Francés nach Santiago de Compostela, auf dem man täglich mehrmals durch Ortschaften oder kleinere Städte kommt und jede Nacht in einem Refugio übernachten kann.
Auf dem Appalachian Trail kommt man im Schnitt einmal pro Woche in die Nähe einer Ortschaft oder zu einem nahegelegenen Hostel, wo man duscht, seine Wäsche wäscht, Proviant aufstockt und übernachtet.
Die meiste Zeit aber verbringt man draußen und schläft auch im Freien – entweder in einem Zelt, in einem Tarp, einem Biwaksack oder in einem Shelter, wenn man noch ein Plätzchen darin ergattert.
In unregelmäßigen Abständen gibt es direkt am AT oder auch auf einem mit blue blazes markierten Seitentrail Shelter und Campstellen. Die Trailmarkierung dieser Seitentrails ist identisch mit den üblichen white blazes, nur eben in blauer Farbe. Auch Seitentrails zu Sehenswürdigkeiten nahe des AT oder Wasserstellen sind blau markiert.
Außerdem gibt es Umgehungstrails mit blauer Markierung, die man alternativ nutzen kann, um bei Gewitter eine ausgesetzte, weiß markierte Route sicher zu umwandern.

Ein Shelter (im Norden Lean-to) ist üblicherweise ein dreiwändiger Holzbau mit vorgezogenem Dach, wobei eine Längsseite offen ist. Meist befindet sich der Boden zwischen Knie- und Hüfthöhe. Es gibt aber auch ältere Shelter, deren Boden tatsächlich direkt am Grund ist.
Und dann gibt es noch einige rustikale Exemplare, deren Boden aus Rundbohlen zusammengesetzt ist, den 'baseball bats', was bei denjenigen Hikern für unvergessliche Nächte sorgt, die mit Isomatten oder weniger unterwegs sind. Denn auf dem Shelterboden rollt man Schlaf-

Shelter am AT: links in Georgia, rechts in North Carolina; April 2007

matte und Schlafsack zum Übernachten aus. Gewöhnlich haben Shelter noch einen hölzernen Picknicktisch und um das Shelter herum Campstellen für Zelte. Außerdem gibt es oft direkt oder auf einem Seitentrail erreichbar eine Wasserstelle und ebenso etwas entfernt gelegen ein sogenanntes 'privy' - ein einfaches Plumpsklo.
Bei Gegenden mit bekannt hoher Schwarzbären-Aktivität befinden sich zusätzlich Vorrichtungen, an denen man seine Lebensmittel mit Metallseilen in die Höhe ziehen kann, oder es stehen schwere, metallene Truhen bereit, in die man seinen Proviant über Nacht bärensicher verstaut.
Selbst, wenn keine Bärenseile oder -Stangen als Vorrichtung bereitgestellt sind, muss man jeden Abend im Camp sein Essen bärensicher weghängen, was bedeutet, dass man lernen muss, ein Bärenseil zu werfen, um seine Lebensmittel an hohen Ästen hängend so zu sichern, dass ein Bär weder vom Boden noch vom Baum aus an den Proviant kommen kann.
Schwarzbären aller Altersgruppen sind exzellente Kletterer. Wer sich nicht daran hält, braucht sich nicht zu wundern, wenn er nachts plötzlich von einem Schwarzbären im Zelt geweckt wird, weil Nahrungsmittel drin liegen, oder in der Früh keinen Rucksack mehr vorfindet, weil ein Bär ihn sich mitsamt Proviant und Ausrüstung geschnappt hat.

Jedes Shelter hat ein Shelterlog, meist ein einfaches Ringbuch oder einen Collegeblock, in dem man Mitteilungen hinterlassen kann, Cartoonzeichnungen oder sonstige Kommentare, die einem gerade einfallen.
Diese Shelterlogs enthalten mitunter sehr lustige Beiträge, die etwa den vorangegangenen Trailabschnitt betreffen, Mitteilungen an nachfolgende Wanderer, das tägliche Leben am Trail oder herbe Kritik an den Wanderkarten mit Höhenprofil versus erwanderte Realität am Trail

Cable Gap Shelterlog,
North Carolina;

April 2007

– nicht selten habe ich Shelterlog-Einträge gelesen, bei denen ich lauthals loslachen musste, weil sie entweder so treffend wahr waren, oder so lustig oder beides.

Neben dem Shelterlog gibt es in Sheltern noch typische Bewohner, die vor allem in der Wandersaison sehr aktiv werden: Mäuse. Damit muss man sich abfinden, dass sie nachts in die Rucksäcke schlüpfen auf der unermüdlichen Suche nach Essbarem. Dabei laufen sie an den Schlafenden im Shelter vorbei oder auch gleich direkt querfeldein über Köpfe, Haare und Schlafsäcke. Bergstiefel werden inspiziert und auch die Socken, die am nächsten Tag mit einem Mal neue Belüftungslöcher haben können.

In North Carolina ist mein Ersatzshirt einer solchen nächtlichen Erkundungstour zum Opfer gefallen. Ich hatte nicht daran gedacht, dieses Shirt mit meinem Proviant wegzuhängen, denn es hatte etwas Pfefferminzsalbe abbekommen, die ich mir einige Tage zuvor auf Schultern und Nacken geschmiert hatte. Eine Maus jedenfalls muss das sehr appetitlich gefunden haben und zerschredderte mir daraufhin in der Nacht im Rucksack die rechte Schulterpartie des Shirts. Wie ich das Teil nichtsahnend herausnehmen wollte, rieselte mir ein Schwall anthrazitgrauer Textilkrümel entgegen. Ein Hiker vergaß einmal aus Versehen einen Snickersriegel in einer Seitentasche seines Rucksacks, als er seinen Proviant bärensicher weghängte. Am nächsten Morgen fiel ihm siedendheiß ein, dass er diesen Riegel über Nacht im Rucksack gelassen hatte und untersuchte daraufhin besorgt seinen Rucksack auf Nagelöcher. Glücklicherweise waren keine da, aber die nächtlichen Besucher hatten seinen Snickersriegel fein säuberlich aus der Verpackung entfernt und ihm die leere Plastikhülle im Rucksack zurückgelassen!

Wenn man also in Sheltern übernachtet, sollte man die Taschen der Rucksäcke über Nacht offen lassen, denn die Mäuse inspizieren die Rucksäcke ohnehin, dagegen kann man nichts machen. Wer alle Reißverschlüsse zumacht, in der Hoffnung, die Mäuse aus seinem Rucksack fernzuhalten, provoziert höchstens, dass er am nächsten Tag Nagelöcher vorfindet.

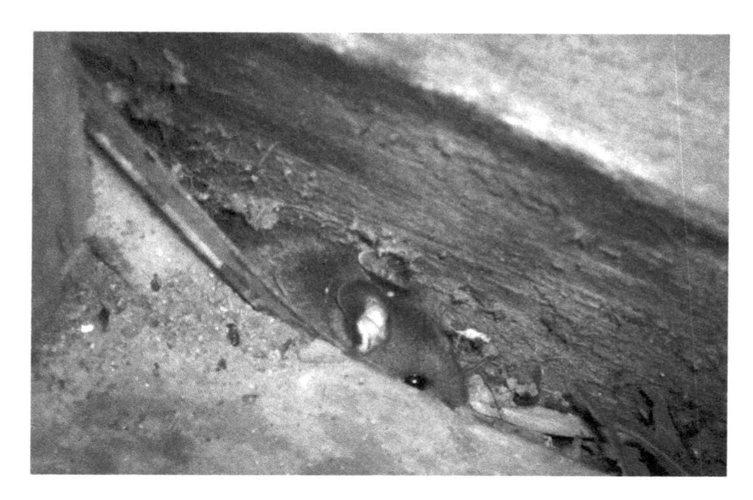

Sheltermaus in Virginia, Juni 2007

Es ist mittlerweile Usus auf amerikanischen Wanderwegen, sich einen Trailnamen zuzulegen. Entwickelt hat sich das Ganze erstmals am Appalachian Trail, bevor es auf die Hiker-Communities in ganz Amerika übergriff.
Der Trailname ist die Identität, mit der man am Trail unterwegs ist. Unter diesem Namen hinterlässt man Einträge in Shelterlogs, wird in der Hiker-Community bekannt und auch in Hostels am und in der Nähe des Trails.
Zu einem Trailnamen kann man unversehens kommen, indem einem andere Hiker einen verpassen, anhand einer Eigenschaft, die auffällig ist oder aber man überlegt sich selbst einen Namen, der einem gefällt. Nachdem man allerdings auch mit Namen versehen werden kann, die man vielleicht nicht so prickelnd findet, die dann aber an einem zu kleben pflegen wie Pech, tut man gut daran, bereits einen Namen parat zu haben, mit dem man sich bei den anderen Hikern von Beginn an vorstellt.
Über meinen Namen habe ich noch zuhause vor meiner Abreise in die Staaten sorgfältig nachgedacht und bin bei *Alpine Strider* gelandet, was von der Bedeutung her den Wunsch danach in sich trug, eine flotte, eher mühelose Gangart beim Wandern zu finden, denn mir war bereits vor dem Abflug klar, dass die erste Zeit am Trail hart werden und ich alles andere als flott auf dem Trail unterwegs sein würde.

Zu meinem ersten Thru-hike kam ich in normaler Alltagskondition, ohne spezielles Training im Vorfeld. In dieser Zeit habe ich zwar seit Jahren intensiv Klassisches Ballett als Hobby trainiert, mit Minimum fünf Mal Training pro Woche auf fortgeschrittenem Niveau, aber Ballett

ist Sprinttraining, das keine Ausdauer trainiert. Insofern war das für die Wanderfitness eher nicht hilfreich. Entsprechend mühsam gestalteten sich die ersten Wochen am Trail auch, was allerdings für viele Thru-hiker der Fall ist, die sich im Frühjahr in Georgia einfinden. Man muss die Zähne ordentlich zusammenbeißen und sich seine Kondition am Trail erarbeiten. Dabei ist man mit mehreren anderen Hikern im selben Boot, was das Ganze zumindest etwas erträglicher macht.
Der Appalachian Trail allerdings geht gleich stramm drauflos mit beständigem Auf- und Ab in Georgia, sodass man mit normaler Kondition selten mehr als acht Meilen pro Tag schafft.
Es ist einfach so, dass nichts einen besser auf Langstreckenwandern mit Tourenrucksack vorbereiten kann, als eben mit vollbepacktem Tourenrucksack lange Strecken durch die Berge zu wandern. In diesem Blickwinkel betrachtet ist der Appalachian Trail ein Ganztages-Fitnessstudio unter freiem Himmel.
Zu bedenken ist außerdem, dass es eine Sache ist, einen Tag lang eine körperlich herausfordernde Wanderung zu unternehmen, die gerne auch zwei oder drei Tage dauern kann; es ist allerdings etwas grundlegend anderes, dies nicht nur über Wochen, sondern mehrere Monate lang tagein, tagaus zu tun, mit durchschnittlich einem Rasttag pro Woche.

Beim Thema Fitnessstudio kommt noch ein weiterer Aspekt hinzu: die dauerhafte körperliche Anstrengung dieser Wanderung hat natürlich Auswirkungen auf den Stoffwechsel. Man verbrennt zwischen 3000 und 6000 Kalorien am Tag, je nach Wanderdauer und der damit verbundenen Anstrengung, worauf auch das Rucksackgewicht einen Einfluss hat.
Es gibt bereits Studien zu den Veränderungen bei Stoffwechsel und Körpergewicht von Thru-Hikern auf dem Appalachian Trail, wonach vor allem Männer sehr viel Körpergewicht verlieren, während es bei Frauen weniger Gewichtsverlust gibt, dafür aber betontere Muskeln an Armen und Beinen.
Das war bei mir nicht ganz so – ich habe bei meinem ersten Thru-hike massiv an Körpergewicht verloren, sodass ich mir unterwegs mehrmals neue Wanderröcke in immer kleineren Größen kaufen musste. Der Hüftgurt meines Tourenrucksacks war nach etwas mehr als der Hälfte des Trails an beiden Seiten zum absoluten Minimum enggezogen.
Beim zweiten Thru-hike war ich bereits nach dem ersten Monat auf dem Trail von meinen körpereigenen Reserven her so weit am Limit, dass ich jeden Stopover bei Tankstellen oder Diners unterwegs genutzt habe und mich in Städten mit hochkalorischem Junk-Food mästete, damit für die nächste Etappe etwas zum Zehren vorhanden war. Diese Methode hat bis Georgia auch recht gut geklappt.

Während eines Thru-hikes kommt der Stoffwechsel gewaltig auf Trab und arbeitet in Hochleistungsmodus. Man kann mit seinem Proviant nicht die Menge an Kalorien ausgleichen, die man pro Tag auf dem Trail durch das Wandern verbrennt. Kommt noch hinzu, dass man mit eher schwerem Rucksack unterwegs ist, wie das bei mir der Fall war, verbrennt man noch mehr.
Als Thru-Hiker wird man nach einiger Zeit am Trail zu einem athletischen Hochleistungsmotor, der pausenlos Energie umsetzt. Deshalb wird bei Thru-hikern auch davon gespochen, dass sie im Lauf dieser langen Wanderung zu einer Hiking-machine werden. Obwohl man einen Bärenappetit entwickelt, was sich in Städten und Ortschaften entlang des Trails vor allem an All-You-Can-Eat-Buffets in Restaurants zeigt, wo Thru-hiker dafür bekannt sind, monströse Portionen zu vertilgen, nimmt man nicht zu, sondern eher noch mehr ab, weil der Stoffwechsel unentwegt auf hohem Niveau verbrennt.
Insgesamt fühlt man sich nach etwa zwei Monaten auf dem Trail topfit und hat eine Kondition, dass man Bäume ausreißen könnte - so lebendig und energiegeladen hat man sich möglicherweise das letzte Mal als Kind gefühlt.

Zur Fitness, die beim Wandern erarbeitet wird, trägt neben der täglichen, stundenlangen Wiederholung der Umstand bei, dass die An- und Abstiege am AT meist sehr steil verlaufen.
Das amerikanische *National Geographic Adventure* Magazin hat in seiner Juni/Juli Ausgabe Nr. 41 von 2004 einen Vergleich der drei Weitwanderwege angestellt, die zusammen die Triple Crown der US-Weitwanderwege bilden: Appalachian Trail (AT), Pacific Crest Trail (PCT) und Continental Divide Trail (CDT), wobei sich gezeigt hat, dass von allen drei Trails der AT als der kürzeste dennoch fast doppelt so steil ist in den Auf- und Abstiegen wie CDT und PCT.

Der Grund hierfür hat damit zu tun, dass der AT ein reiner Wanderweg ist, eher ein Wandersteig, der ausschließlich für Wandernde zu Fuß gedacht ist, während PCT und CDT auch für Reiter oder Wanderungen mit Packtieren angelegt worden sind und daher flachere An- und Abstiege haben.
Abgesehen von einer Etappe am nördlichen Ende des Great Smoky Mountains Nationalpark, wo sich Wanderer und Reiter ein entsprechend breiteres und flacheres Stück Appalachian Trail teilen können und man an den Campstellen im Park auch Vorrichtungen findet, wo Besucher zu Pferde über Nacht ihre Tiere anbinden können, ist es auf dem Appalachian Trail nicht gestattet, ihn anders als zu Fuß zu nutzen.
Insgesamt werden bei einem Appalachian Trail Thru-hike so viele Höhenmeter zurückgelegt, dass man 27 mal den Mount Everest von Meereshöhe bis zum Gipfel besteigt.

Auf beiden meiner Thru-hikes fand ich es ziemlich amüsant mitzubekommen, wie Thru-hiker, die vor dem Appalachian Trail mindestens den PCT oder den CDT in ganzer Länge gewandert waren, sich geradezu entnervt über den Appalachian Trail beschwert haben – er sei zu steil, er sei zu anstrengend, man sei die ganze Zeit in den Bergwäldern mit weniger Aussichtsmöglichkeiten.
In Virginia gar fand ich im Shelterlog des Maupin Field Shelters, einer Etappe, die die Priest- und Three-Ridges-Wildernesses betrifft, in denen man ganz besonders steile und lange An- und Abstiege zu bewältigen hat und dies als Thru-hiker üblicherweise in den sehr schwülheißen Sommermonaten, einen Logeintrag eines Hikers vor, der den PCT oder den CDT von Mexiko bis Kanada erfolgreich bewältigt hatte, sich aber nun bitter und ärgerlich über den Appalachian Trail ausließ und wie angefressen er von dem Trail sei, dass er am liebsten abbrechen würde und daher in Waynesboro, der nächsten Stadteinkehr bei Rockfish Gap, einen dringenden Preptalk seines Kumpels benötige, damit er den Trail noch weitermache ....

Diese Beispiele aus dem Hikeralltag am Trail sind in mehreren Punkten interessant:
Zunächst einmal ist es wahr, dass der Appalachian Trail steil und anstrengend ist; dass man über unzählige bewaldete Berge hinübermuss; dass man sich ganz offenbar im Gegensatz zu PCT und CDT seine Aussichtserlebnisse während der Wanderung oftmals hart erarbeitet, weil man sich bis New Hampshire und Maine auf dem Trail fast ausschließlich innerhalb der Baumgrenze bewegt, wo es naturgemäß Bergwälder gibt.
Die Appalachen rangieren als Mittelgebirge und haben nur in den Smokies einige hochgelegene Stellen, an denen der Trail streckenweise 360 Grad Panoramen bietet, davor und danach vereinzelt immer wieder auf Etappen, in denen man auf Feuertürme steigen kann oder über Southern Balds unterwegs ist, dann in den Grayson Highlands; auf McAfee Knob und den Tinker Cliffs oberhalb des Catawba Valleys; auch der Shenandoah Nationalpark hat einige Panoramaaussichtspunkte, danach gibt es noch einige Stellen in Pennsylvania, etwas Ridgelinewalking in New Jersey, New York und Massachusetts nebst Mount Greylock – doch bis New Hampshire und Maine, wo es der geographischen Lage geschuldet ist, dass die Baumgrenze sich weiter nach unten bewegt, ist man hauptsächlich in Bergwäldern unterwegs, wo die Aussichtsmöglichkeiten begrenzt und meist nur nach einer Seite hin möglich sind.
Es gibt insgesamt schon viele Aussichtspunkte, aber eben nicht ständig.

-3-

Mit Wutanfällen größeren oder kleineren Ausmaßes muss man einfach rechnen, wenn man als Thru-hiker unterwegs ist – man hat eine Nacht mit zweifelhafter Qualität zugebracht, die Hitze, die stechenden Blutsauger im Wald, ein viel zu schwerer Rucksack, Meilen wie Kaugummi vor allem gegen Abend bis zum Camp, Regen, Erschöpfung, schlechte Laune, der Trail ist nicht so wie man ihn sich vorgestellt hat und er wird auch nicht so, wie man es gerne hätte. Gründe gibt es genug, hier und da einmal einen spektakulären Ausraster als Intermezzo hinzulegen, damit man hinterher knurrend weiterwandern kann. Solche Dinge passieren, idealerweise natürlich ohne Zeugen im Umfeld.

Und noch etwas: Man sollte niemals Entscheidungen ernst nehmen, die man beim Bergaufwandern oder mit schlechter Laune trifft.

Ein Aspekt, der allerdings nicht unterschätzt werden sollte, hat mit den steilen An- und Abstiegen zu tun: Auf dem Appalachian Trail kommt es typischerweise häufig zu Problemen mit Knie- und Fußgelenken bei den Wandernden.
Außerdem sind unabhängig vom Steigungsgrad des Trails Blasen und Wundreiben ein unwillkommener Nebeneffekt, und so mancher Thru-hiker verliert im Laufe des Treks ein gesamtes Set an Zehennägeln, die einem nach dem anderen abfallen.
Knie- und Gelenkprobleme werden bei einigen Wandernden so schlimm, dass sie den Trail abbrechen müssen.
Bei mir waren die oben genannten Dinge so gut wie kein Thema, wobei ich mir nun nicht ganz sicher bin, woran das im Einzelnen gelegen haben mag.
Allerdings war mir vor Beginn meines ersten Thru-hikes im April 2007 klar, dass ich bei meinem Rucksack nicht mit leichten Wander- oder Trailrunningschuhen in den Appalachen aufzukreuzen brauchte, denn ich benötigte einen festeren Halt im Schuh durch knöchelhohe, stabile Bergstiefel, was für mich auch gut funktioniert hat.

In den vergangenen Jahren hat sich in Amerika vom PCT ausgehend eine Ultralight-Philosophie verbreitet, die auch auf den Appalachian Trail übergeschwappt ist.
Ray Jardine hat entsprechend der Gegebenheiten des PCT ein Konzept entwickelt, wie man als Langstreckenwanderer mit minimalem Rucksackgewicht komfortabler auf langen Strecken unterwegs sein kann und dennoch Proviant und Campingausrüstung dabeihat.
Dabei werden auch die Bergstiefel mit leichteren Trailrunningschuhen ersetzt, die zwar mit robusterem Profil als normale Turnschuhe gefertigt sind, aber keinen Halt im Knöchelbereich bieten, den man allerdings nicht unbedingt braucht, wenn man insgesamt unter zehn Kilo Rucksackgewicht trägt.

Nun ist das zweifellos eine feine Sache für diejenigen, die mit dieser Methode und ihrem persönlichen Backpacking-Verhalten genug Erfahrung haben, dass sie das Konzept optimal für sich und ihre Bedürfnisse einsetzen können, ohne sich in Gefahr zu bringen.
Denn das ist das große Aber an dieser Methode: man muss genau wissen, was man tut und ob das für die eigenen Bedürfnisse in den entsprechenden Situationen auch funktioniert.
Außerdem muss man das auch mögen, derartig minimalistisch am Trail zu leben – deshalb ist das mein Ding eher nicht.
Ziel dieser Methode ist es, im großen Ganzen nur das Allernotwendigste mitzunehmen, dabei Ausrüstungsgegenstände mehrfach zu nutzen, etwa Trekkingstöcke als Zeltpfosten, außerdem die Ausrüstung durch möglichst leichtgewichtigere Varianten zu ersetzen.
Letzteres ist zwar keine schlechte Idee, allerdings ist Ultralight-Ausrüstung nach wie vor sehr teuer. Es empfiehlt sich dennoch, wenigstens bei Zelt und Schlafsack in den sauren Apfel zu beißen, denn es macht tatsächlich einen Unterschied, ob man hier ein Kilo mehr oder weniger im Rucksack trägt.

Wo ich aber ernsthafte Bedenken habe, geht es um Komfort und Sicherheit ganz allgemein. Es mag unangenehm sein, sich anfangs mühsam seine Trailfitness mit schwererem Rucksack erarbeiten zu müssen, doch: der Punkt kommt, an dem man auch mit 20 Kilo am Rücken schneller und an den Rucksack gewöhnt wandert, so, als hätte man nie etwas anderes getan.
Dafür hat man auf dem Trail etwa im Verletzungsfalle sterile Binden und Pflaster dabei, eine kleine Wundsalbe, außerdem Notfallmedikamente und muss sich nicht mit Handdesinfektionsmittel und dem einzigen, verschwitzten Bandanna behelfen, das als 'Verbandszeug' zur Hand ist - und das, während man vorsätzlich tagelang in den Bergen herumsteigt.
Man hat im Camp mit ordentlichem Zeltsystem, bequemer Trekkingmatte plus Minikopfkissen einen viel größeren Komfort als eingefleischte Ultralight-Minimalisten mit aufgespannter

Zeltplane über losem Tyvekboden und muss im Hostel oder bei einem Stadtaufenthalt, möglichst noch bei gefühlten 40 Grad im Schatten mit hoher Luftfeuchtigkeit, nicht unbekleidet unter seinem Regenponcho im Laundromat vor der Waschmaschine herumstehen, bis das einzige Set Kleidungsstücke, das man hat, gewaschen und getrocknet ist.
Ganz zu schweigen davon, dass bei Regen saubere Ersatzwäsche zur Hand ist, die man sich zum Schlafen anziehen kann, ohne mit seinem klatschnassen, verschwitzten und stinkenden Zeug in den Schlafsack kriechen zu müssen, der dadurch trotz Liner verschmutzt wird – vorausgesetzt, das Ultralight-Konzept sieht solchen Luxus wie einen seidenen Schlafsackliner von knapp 150 Gramm Packgewicht zusätzlich überhaupt vor ...

Von anderen Dingen wie einfachen Plastikfolien als Schlafmattenersatz; Steinen, Ästen, Laub oder sogar den bloßen Händen anstelle von Toilettenpapier und zu knapp bemessenem Proviant, weil man jeden Tag 40 Meilen auf dem Appalachian Trail bergauf, bergab rennen muss, ungeachtet dessen ob man das körperlich schafft oder nicht, fange ich gar nicht erst an.

Auf beiden Thru-hikes habe ich über andere Hiker Erfahrungen mit Lightweight Backpacking sammeln können – sogar müssen, denn Rucksackgewichte werden am Trail ausgiebig diskutiert; vor allem von Lightweight-Spezialisten bekommt man zuhauf ungefragt Kommentare zu seinem herkömmlichen Rucksack. Letztlich aber habe ich für meine Bedürfnisse keine so gravierenden Vorteile festgestellt, bei denen ein ordentliches Maß an Komfort und Sicherheit gewährleistet bleibt, dass das Ganze für mich insgesamt reizvoll wäre.
Gewiss, man bewegt sich leichter, wenn man weniger Gewicht auf den Schultern trägt und kann größere Tagesetappen zurücklegen – doch die Frage ist wirklich, was soll es groß bringen, statt 25 Meilen pro Tag 35 und mehr zu laufen, um dann nur schneller mit dem Trail fertig zu sein? Schwere Rucksäcke werden im Laufe des Trails ohnehin etwas leichter, weil jeder Hiker individuell für sich herausfindet, was er tatsächlich dabeihaben möchte und was nicht.
So ging es mir genauso - spätestens ab Zentral-Virginia lief ich nicht mehr mit einem Rucksack wie in Georgia/North-Carolina herum, aber das war eben ein Prozess, erst einmal herauszudröseln, was mir wichtig war und was nicht.
Ganz abgesehen davon, dass ich mit meinem Rucksack, der weiterhin jenseits der Ultralight-Methode blieb, nicht nur einen Thru-hike komplett geschafft habe, sondern auch einen zweiten – und den sogar in sehr flottem Tempo unter vier Monaten.

Hierzu muss grundsätzlich festgehalten werden, dass ein Ultralight-System einem nicht die Anstrengung abnimmt, den Trail auch wandern zu müssen, dass das Gelände dadurch nicht flacher wird und dass es kein Garant ist, den Trail in jedem Falle von einem Ende zum anderen zu bewältigen. Umgekehrt ist es nicht so, dass ein schwerer Rucksack zweifellos dazu führt, den Trail abzubrechen. Es ist anfangs zwar mühsamer, aber man findet seinen Tritt.

Den Appalachian Trail von einem Ende zum anderen zu wandern, ist neben der körperlichen Anstrengung vor allem eine mentale Herausforderung: der Kopf muss dabei sein, die gesamte Einstellung – ungeachtet des Rucksackgewichts.

-4-

Nun ist es nicht zwingend notwendig, gleich einen Thru-hike von einem Endpunkt zum anderen anzustreben, um den AT zu wandern. Aber es ist durchaus eine sehr reizvolle Variante, den Trail so in seiner gesamten Länge kennen zu lernen.
Ich habe ja bereits angesprochen, dass gemäß Angabe der ATC hauptsächlich Tageswanderer auf dem AT unterwegs sind, oder solche, die sich maximal bis zu einer Woche auf dem Trail aufhalten.
Wenn man sich aber für einen Thru-hike entscheidet, ist man der langen Strecke wegen an ein begrenztes Zeitfenster gebunden, in dem diese lange Wanderung zu bewerkstelligen ist. Für Nicht-US-Bürger kommt die zeitliche Begrenzung des Visums hinzu.
Das bedeutet, dass man es eher nicht mit einer mehrmonatigen Genusswanderung zu tun haben wird, trotz der schönen Natur- und auch Wildtiererlebnisse, die der Trail bietet.
Man muss schon diszipliniert seine Tagesetappen ablaufen, was gerade dann sehr schwer wird, wenn man an Orte kommt, die einem so sehr gefallen, dass man gerne länger bleiben möchte, dies aber nicht kann, weil einem die Zeit sonst zu knapp wird.

Um es krass zu verdeutlichen: die tägliche Haupttätigkeit über Monate hinweg ist ständiges Wandern. Das ist das Thru-hikerleben. Die Berg- und Waldlandschaft, die Pflanzen und Tiere am und um den Trail werden unterm Wandern gouttiert. Pausen sind natürlich drin, aber sie sind verhältnismäßig kurz im Vergleich zur täglichen Wanderzeit.
Man hat als Thru-hiker einen gewissen Druck im Nacken, denn abgesehen davon, dass es ein anstrengender, langer Weg ist, mit ganz wenigen Ausnahmen ständig bergauf, bergab, muss man beachten, dass Maine als nördlicher Endpunkt des Trails auch geographisch schon sehr weit im Norden liegt, sodass es dort späte Schneeschmelze im Frühjahr und frühe Wintereinbrüche gibt.

Mount Katahdin, Maine, von Crescent Pond in der Hundred Mile Wilderness gesehen, und Aufstieg über den *Hunt Trail*, Beginn der ausgesetzten *Hunt Spur*

Für den Endpunkt des Appalachian Trails auf Mount Katahdin im Baxter State Park bedeutet dies, dass bereits Anfang Oktober mit Schnee und Eis am Berg gerechnet werden muss, worauf alle Zugangstrails zum Berg von den Parkrangern geschlossen werden, weil eine Besteigung lebensgefährlich ist.
Fast die Hälfte der Wanderstrecke auf Mount Katahdin erfolgt oberhalb der Baumgrenze, sodass man sich auf flechtenüberzogenem Granitfelsen bewegt. Der Trailverlauf selbst ist bis zur Tafelebene im letzten Teil sehr steil mit einigen Stellen, an denen man sich mit den Händen auf Felsblöcke hochziehen muss. Wenn diese Stellen eisbedeckt sind, kann man sich vorstellen, was passiert, wenn man ausrutscht und abstürzt.

Insgesamt drei Mal habe ich Mount Katahdin bestiegen, zwei Mal Anfang September 2007, als ich meinen ersten Thru-hike von Georgia nach Maine abgeschlossen habe, und zwei Tage darauf gleich nochmal. Beide Tage wurden von den Parkrangern als sogenannte *class 1 days* bestimmt, was bedeutet, alle Wanderwege zu Katahdin sind geöffnet; der Berg kann bestiegen werden.
Jeden Tag in der Früh bestimmen die Ranger im Baxter State Park anhand der vorherrschenden Witterungsverhältnisse, ob ein *class 1,2,3* oder *class 4 day* vorliegt.
Bei meinem zweiten Thru-hike, den ich am 1. Juni 2008 in Maine begann, lag ein *class 3 day* vor; die letztmögliche Kategorie, dass man den Berg überhaupt besteigen darf.

Bei *class 4* sind alle Trails zum Berg gesperrt. Es kommt immer wieder vor, dass Thru-hiker den ganzen Weg von Georgia nach Maine gekommen sind, um vor verschlossenen Zugangstrails zu stehen, weil Mount Katahdin witterungsbedingt nicht mehr bestiegen werden kann.

Nicht viel anders verhält es sich, wenn man Richtung Georgia wandern möchte.
Relativ spät erst kommen die Great Smoky Mountains, in denen der Appalachian Trail seinen höchsten Verlauf hat. Nachdem man der späten Schneeschmelze wegen in Maine erst frühestens ab Juni auf Mount Katahdin steigen kann, um einen Thru-hike zu beginnen, muss man sich die gesamte Strecke über sputen, dass man nicht zu spät in die Smokies kommt, wenn dort der erste Schnee fällt, was in diesen niederschlagsreichen Bergen nicht sehr angenehm ist, weil es Blizzarde geben kann.
Als ich im September 2008 bei meinem zweiten Thru-hike durch den Great Smoky Mountains Nationalpark wanderte, war die Witterung noch herbstlich und tagsüber bei Sonnenschein sogar warm. Wie mir aber von mehreren Einheimischen sowohl um den Trail als auch später im Südwesten Colorados erklärt wurde, bescherte das Jahr 2008 sowohl dem Osten als auch dem Westen der USA einen außergewöhnlich langen und warmen Herbst, sodass ich Glück hatte, ansonsten hätten bereits frostigere Temperaturen auf mich gewartet, wie ich sie im April 2007 in Georgia und North Carolina/Tennessee erlebt habe.
Mein Zeitmanagement hatte ich also richtig gemacht; die Wanderung selbst allerdings von Maine nach Georgia war davon bestimmt, nicht ohne einen gewissen Druck im Nacken entsprechende Streckenabschnitte pro Tag abzuwandern, ohne sich zu lange irgendwo aufzuhalten. Das hört sich nicht sehr schön an, wenn man geneigt ist, sich angenehmere Vorstellungen von einer mehrmonatigen Wanderung zu machen.

Wer also großen Wert darauf legt, auf dem Appalachian Trail lieber langsamer und genussvoll wandern zu wollen, sollte keinen Thru-hike planen, sondern stattdessen einen Streckenabschnitt, bei dem es nicht darauf ankommt, dass man witterungsbedingt einem vorgegebenen Zeitfenster zu folgen hat.

Bei den Möglichkeiten, einen Thru-hike zu unternehmen, hat man einige Optionen:
Der klassische und beliebtere Weg ist die Süd-Nord-Richtung, ein so genannter *Northbound* Thru-hike (NoBo), den Earl Shaffer etabliert hat und bei dem man idealerweise mit dem Frühling beginnend durch die Sommermonate in den Herbst wandert, bis man in Maine die Wanderung vollendet.

Aussicht über die südlichen Appalachen im Great Smoky Mountains Nationalpark, North Carolina/Tennessee

Der Vorteil dieser Richtung ist viel Gesellschaft am Trail, wenn man nicht gerne allein unterwegs ist, und relativ kurze Wander-Intervalle zwischen Trail und nahegelegenen Städten als Einkehrmöglichkeit am Anfang, sodass man nicht unbedingt gleich zu Beginn große Mengen an Proviant im Tourenrucksack mitschleppen muss.
Für weniger geübte Wanderer ist die Süd-Nordroute der bessere Einstieg, denn der Trail sorgt für das nötige Training um Kondition aufzubauen, kommt aber auch häufig in Gaps, durch die US-Bundesstraßen hindurchführen, sodass man nicht nur im Verletzungsfalle schnell in die nächste Ortschaft gelangen kann.
Außerdem bietet ein Northbound die spektakuläre Klimax am Ende in Maine, die nicht zu übertreffen ist.
Mit dem nördlichen Endpunkt des Appalachian Trails auf Baxter Peak von Mount Katahdin, steht man auf einem riesigen Tafelberg aus Granitfels, der aus einem schier endlos anmutenden Meer von Bergwald erhaben weit über die Baumgrenze herausragt.
Vom Gipfel aus hat man einen atemberaubenden Panoramablick über die wilde Berg-, Seen- und Waldlandschaft in dieser Gegend Maines, die ohnehin kaum besiedelt ist.

Nachteilig sind die vielen anderen Wanderer zu Beginn des Trails in Georgia, weil man große Konkurrenz um nicht ausreichende Anzahlen an freien Betten in Hostels hat; die Campstellen und Shelter am Trail sind überfüllt, und in den trailnahen Städten steht man beim Proviantkauf nicht selten vor einem ausgeräumten Regal, weil Hikerkollegen Tage vorher bereits da gewesen waren, der Supermarkt aber noch keine Lieferung hatte. Die Natur einer Weitwanderung hat es leider an sich, dass Hiker so ziemlich dieselben Nahrungsmittel als Proviant bevorzugen.
Im Great Smoky Mountains Nationalpark muss man damit rechnen, dass man bei den offiziellen Campstellen nicht einmal mehr einen freien Platz findet, um sein Zelt aufzustellen, weil bereits alles belegt ist und die Zelte mit nur einer Handbreit Abstand voneinander eng an eng stehen.
Im April 2007, als ich auf meinem ersten Thru-hike in den Smokies unterwegs war, konnte ich einmal lediglich an der Außenmauer des Shelters, das ebenso rappelvoll mit Hikern belegt war, gerade noch so viel freien Platz finden, um meine Schlafmatte auszurollen und Cowboycamping im Freien machen.
Erst hinterher kam mir die unangenehme Erkenntnis, dass ich ausgerechnet an der einzig zugänglichen Außenmauer dieses Shelters lag, einer Außenmauer, an der sich sicherlich einige Hiker in der Nacht zuvor erleichtert haben dürften, denn die sogenannten Privy areas für die großen und kleinen Bedürfnisse sind auch in den Smokies immer etwas von den Campstellen entfernt, wozu man also erst ein bisschen laufen müsste, was aber kein Hiker macht, der nachts mit einem dringenden 'kleinen' Bedürfnis aufwacht ...
Wie gesagt, da habe ich also meine Schlafmatte ausgerollt. – Shit happens!
Ein anderer Hiker hat bei dieser Campsite in den Smokies nur noch ein Plätzchen mit einer jäh abschüssigen Seite für sein Zelt ergattern können, sodass seitdem das Zeltgestänge verbogen war und sein Zelt sich wie ein Geier merklich nach vorne neigte, wenn es aufgerichtet stand.

Wer einen *Southbound* (SoBo) Thru-hike plant, beginnt in Maine und wandert bis nach Georgia. Southbounder sind zahlenmäßig weniger stark vertreten als Northbounder – auf zehn Northbounder kommt im Schnitt ein Southbounder, wenn überhaupt.
Von zehn Northboundern übrigens steigen im Schnitt sieben im Laufe der Wanderung aus und verlassen den Trail; es sind also drei von zehn Hikern, die tatsächlich von Georgia bis Maine durchhalten.
Ein Southbound Thru-hike hat einige Vorteile in petto: der Trail ist angenehm leer; man kann fast immer damit rechnen, in Hostels und Sheltern einen Platz zu finden, ja, sogar das ganze

Shelter für sich zu haben, was insbesondere dann recht fein ist, wenn man einen leichten Schlaf hat und vom Schnarchen anderer Hiker ständig geweckt wird. Was die Sheltermäuse angeht, so sind diese in Maine auch noch nicht aktiv.
Auf meinem gesamten Southbound Thru-hike hatte ich kaum Probleme mit Sheltermäusen; bei meinem Northbound das Jahr zuvor dagegen waren sie von Georgia bis Maine extrem aktiv, sogar auf inoffiziellen Campstellen (stealthcamps) entlang des Trails, wo ich noch dachte, dass man in der Nacht vielleicht da etwas Ruhe vor deren ständigem Getrappel und Geraschel hätte.
Die einzigen Engpässe bezüglich anderer Wanderer ergeben sich erst, wenn Pfadfindergruppen unterwegs sind und die Shelter nutzen, oder wenn man als Southbounder in New York/New Jersey auf die entgegenkommenden Northbounder trifft – da kommt es vereinzelt nochmal zu volleren Campstellen, die aber längst nicht so überbelegt sind wie in Georgia/North Carolina/Tennessee im Frühling.

Weil der Trail so leer ist und man die meiste Zeit alleine unterwegs ist, sieht man sehr viele Wildtiere. Das ist verständlich, denn die großen Mengen von Northboundern verjagen mit dem Lärm, den größere Gruppen nun einmal machen, jedes Wildtier im Nu.
Auf meinem Northbound habe ich erst im Norden Virginias meinen ersten Schwarzbären in freier Wildbahn sehen können - und da war ich gegen acht Uhr Abend noch unterwegs und alleine. Wären da noch andere Leute auf dem Trail gewesen, hätte es wohl auch mit diesem Bären nicht geklappt.
Bei meinem Southbound dagegen habe ich über dreißig Bären in freier Wildbahn gesehen, davon sogar eine Bärenmutter mit drei Jungen und meinen letzten Schwarzbären in Georgia knapp dreißig Minuten bevor ich auf Springer Mountain meinen Southbound vollendete; außerdem mehrere Elche, Luchse, Schildkröten, ein Stachelschwein mitten auf dem Trail in Maine, auch sehr viele Klapperschlangen und sogar einen Kojoten, die bekanntlich sehr scheu sind – man hört sie eher, als dass man sie sieht.
Die ungewöhnlichste Begegnung aber war bei meinem Southbound in den Smokies, direkt beim Icewater Springs Shelter, von dem man eine sagenhafte Aussicht über die Great Smoky Mountains hat – dort lief ein Pfau herum! Ich dachte zunächst, ich sehe nicht richtig, aber der Vogel war da, und zwar mit der größten Ruhe, als sei dies der selbstverständlichste Ort der Welt für diese Vogelart.
Wer also gerne Wildtiere sehen möchte und kein Problem damit hat, den größten Teil dieser Wanderung alleine unterwegs und zu sein, wird mit einem Southbound Thru-hike auf seine Kosten kommen.

Allerdings hat auch ein Southbound seinen Preis:
Zunächst einmal gilt es, mit dem anstrengendsten, entlegensten Terrain zu beginnen, das der gesamte Appalachian Trail zu bieten hat. Wenn man als Northbounder nach New Hampshire kommt, dem vorletzten Staat auf dem Trail, heißt es, man habe zwar 80 % des Appalachian Trails geschafft, aber nur 20 % der Anstrengung geleistet.
Das Terrain, das in Maine und New Hampshire auf einen wartet, ist sehr anspruchsvolles Wandergebiet mit vereinzelten Hand über Kopf Klettereien, und es gibt etliche Flussquerungen ohne Brücken oder Stege.
Der Anstieg auf Mount Katahdin über den Hunt Trail, auf dem die weiß markierte Route des Appalachian Trails verläuft, beträgt knapp fünfeinhalb Meilen einfach, davon die ersten Dreiviertel des Anstiegs steil bergauf. Man muss also bereits eine gute Kondition mitbringen, um im Norden mit einem Thru-hike zu starten.
Diese fast neun Kilometer müssen ja wieder heruntergelaufen werden, was bei dem Anstieg für eine Tageswanderung durchaus ausreichend ist, für einen Thru-hiker aber geht die Wanderung nun erst richtig los. Da kommen noch einmal gut zehn Meilen durch Baxter State Park bis Abol Bridge hinzu, es sei denn, man möchte den Nachmittag und die erste Nacht am Campground im Park vor dem Einstieg auf Katahdin verbringen, denn zwischen Abol Bridge und Katahdin Stream Campground ist am Trail ist kein wildes Campen erlaubt.

Diese zehn Meilen bis Abol Bridge sind zwar angenehm zu wandern, aber gewandert werden müssen sie doch – und das mit einem rappelvollen Rucksack.
Von Abol Bridge bis zur via AT nächsterreichbaren Ortschaft Monson erstreckt sich die Hundred Mile Wilderness; das sind hundertsechzig Kilometer komplett von jeder Zivilisation abgeschnittene Berg-, Wald- und Seenwildnis in Maine. Dort kann man nirgends Proviant kaufen; es gibt keine gepflasterten Zufahrtsstraßen oder Ausweichwege, denen man in irgendeine Ortschaft folgen kann; der Weg hinein und wieder hinaus ist der Appalachian Trail.
Daher muss man den gesamten Proviant für diese lange Wegetappe auf dem Rücken tragen, plus Ausrüstung, außerdem geht es trailmäßig nach relativ angenehmen 25 Meilen zu Beginn mit einem Mal richtig zur Sache, und zwar bis zum Schluss. Hier ist es nicht möglich, langsame Acht-Meilen-Tage zu wandern; alleine den Proviant, den man benötigte, könnte man gar nicht schleppen.

Die Crux am AT in allen Richtungen ist die, dass abgesehen von der Hundred Mile Wilderness durchaus öfter als nur alle sieben Tage in Ortschaften oder Kleinstädten nahe des Trails eingekehrt werden könnte. Aber: solche Einkehrten halten sehr auf, denn nicht nur, dass man in

die Orte trampen muss, es gilt hinterher wieder eine freundliche Seele zu finden, die einen zurück zum Trail chauffiert; außerdem verliert man in den Städten selbst viel Zeit, weil man sich halt doch länger aufhält als geplant. Solche häufigen Stopps habe ich vermieden, denn sie unterbrechen den eingespielten Rhythmus am Trail auf unangenehme Weise.
Ich für meinen Teil bin nicht auf den AT gekommen, um alle drei Tage Zeit zu verlieren, um in und hinterher wieder aus einer Stadt zu kommen, wenn es nicht unbedingt nötig war.
In der Hundred Mile Wilderness gibt es zwar einige Forststraßen, die man auf den Karten ausmachen kann, diese werden aber nur von der örtlichen Holzindustrie genutzt. In den Zeiten allerdings, in denen Southbounder gewöhnlich dort durchwandern, ist auch kein Holzfäller in den Bergwäldern Maines unterwegs.

Shelterlog-Eintrag im Moxie Bald Lean-to, Hundred Mile Wilderness, Maine

Juni 2008

Der Grund hierfür sind Schwärme von stechenden Insekten in den Wäldern, die nach der Schneeschmelze in überwältigenden Massen anzutreffen sind. In Maine gibt es zahlreiche Seen und andere Gewässer, hinzukommt, dass die Wälder der Appalachen allgemein schon eher feucht sind - in Maine aber sind sie dies besonders.
Und das natürlich erst recht nach der Schneeschmelze.
Kaum einem Einheimischen Maines würde in den Sinn kommen, in dieser Jahreszeit in den Bergwäldern herumzulaufen; auf sowas kommen nur Appalachian Trail Thru-hiker.
Als Southbounder muss man sich also damit abfinden, in den Wäldern von diesen Schwärmen

blutdürstiger Moskitos zerstochen zu werden. Amerika hat zwar wirklich hervorragende Anti-Insektenmittel aller Art, doch selbst diese helfen in den Wäldern Maines überhaupt nichts – die Mücken stechen trotzdem munter weiter.
Auch Moskito-Kopfnetze sind unbrauchbar, denn man sieht in den üppig belaubten Wäldern nicht richtig durch das Netz durch und rennt unter einer Kopfsauna schwitzend herum, was noch mehr Mücken anlockt.
Man muss sich daran gewöhnen, sich stechen zu lassen. Es ist die ersten zwei Tage etwas unangenehm, weil es sich anfühlt, als liefe man die ganze Zeit durch Brennnessel, aber auch das nimmt man irgendwann halt ergeben hin. Es geht eben nicht anders.

Kommt man aus den Wäldern auf einen freien Berggipfel oder an eine Lichtung mit einem See, hat man kurzzeitig Ruhe vor den Mückenschwärmen des Waldes und anderen stechenden Plagegeistern, es sei denn, es geht keine Brise – dann fallen Blackflies über einen her, deren Bisse noch schmerzhafter sind als Mückenstiche.
Blackflies sind winzigkleine schwarze Fliegen, kaum stecknadelkopfgroß, die mit Vorliebe in Augenwinkel, Nasenlöcher oder Ohren fliegen, um einen zum Wahnsinn zu treiben, aber sie schaffen es auch, unbemerkt unter die Kleidung zu gelangen, wo sie an den unglaublichsten Stellen pickelgroße, rote Bisswunden hinterlassen.
Die richtig üble Blackfly-Saison ist der Monat Mai, wie mir von Einheimischen in Andover mitgeteilt wurde – so habe ich im Juni 2008 also nur die relativ milden Restbestände dieser Biester kennengelernt.
Was diese Plagegeister insgesamt betrifft, muss man sich darauf einstellen, in ganz Maine und New Hampshire mit diesen Insekten zu tun zu haben. Erst in Vermont, nach 442 Meilen, hat man Ruhe – oder so, bis spätestens in Pennsylvania die Pferdebremsen auf einen warten. Auch das gehört zum Kapitel Naturerlebnis mit einheimischen Wildtieren.

Insgesamt ist ein Southbound meiner Einschätzung nach zu Beginn weitaus anstrengender als ein Northbound, dann aber gleichen sich die Strecken aus, und es gibt Stellen, bei denen man klar im Vorteil ist: Roan Mountain in North Carolina/Tennessee etwa ist ein extrem fieser Anstieg für Northbounder, während man als Southbounder bereits ziemlich weit oben befindlich lediglich einen leichten Spaziergang über eine kleine Bergkuppe hat; dasselbe gibt es nochmal bei Lake Watauga, den Northbounder von den Laurel Falls kommend erst über einen nicht minder fiesen Anstieg über Pond Mountain erreichen, während man als Southbounder vom See kommend wieder nur in leichtem Anstieg eine Bergkuppe überrundet.
Dafür müssen Northbounder in New Hampshire nicht von Kinsman Notch kommend auf

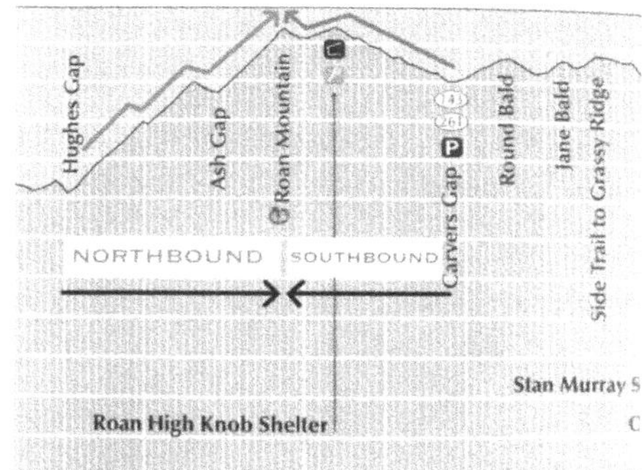

Logeintrag im Mountaineer Falls Shelter, Tennessee, zum Anstieg auf Roan Mountain für Nobos – und Karte

Mount Moosilauke hinaufsteigen, ein dermaßen übler Anstieg, dass der Trailverlauf sogar noch steiler ist als der Beaver Brook Wasserfall, der gleich daneben die Felsen hinunterstürzt.
Das Gemeine ist ja, dass man schon vom gegenüberliegenden Berg hinabsteigend sieht, wo es nach Überquerung der Straße in der Notch wieder hinaufgeht.
Bei Mount Moosilauke jedenfalls musste ich mir aus moralischen Gründen am Einstieg erst einmal drei Snickersriegel einverleiben, bevor ich für den Aufstieg gewappnet war. Und diese Snickersriegel habe ich mir extra für diesen Berg aufgehoben, denn ich wusste ja, was mich erwartete.
Was machen bloß diejenigen Southbounder, die nach Kinsman Notch hinuntersteigen, ohne die Örtlichkeit zu kennen, um dann festzustellen, welcher Anstieg als nächstes auf dem Programm steht? Dieser Berg jedenfalls hat es in sich; da weiß man, was man getan hat, wenn man oben ist!

Eine dritte Möglichkeit, den Appalachian Trail an einem Stück zu wandern, ist die *Flip-flop*-Methode.
Dabei beginnt man an einem Endpunkt des Trails und wandert in einer Richtung bis Harpers Ferry beispielsweise, nimmt den Greyhoundbus oder ein Flugzeug nach Maine oder Georgia, wo man vom entgegengesetzten Trailende nun die ganze Strecke in anderer Richtung bis Harpers Ferry zurückwandert, wo dann der Endpunkt ist.
Oder, man startet in Harpers Ferry, läuft bis Maine, fährt dann nach Georgia und wandert wieder bis Harpers Ferry, wo in diesem Falle Start- und Endpunkt gleichzeitig wäre. Diese Methode kann man überall am Trail umsetzen, soweit man nicht vor der Schneeschmelze nach Maine fährt.

Wegen der Stoßzeiten im Süden zu Beginn der Thru-hiker-Saison im Frühling, wäre der ATC sehr daran gelegen, wenn mehrere Hiker sich für diese Option erwärmen könnten, damit man die bekannten Wanderermengen an bestimmten Etappen des Trails entschärft.
Üblicherweise werden Flip-flops dann in Angriff genommen, wenn ein Thru-hiker unterwegs befürchtet, es nicht mehr rechtzeitig nach Maine zu schaffen, bevor Katahdin für den Winter geschlossen wird. Es kommt vor, dass Hiker verletzungsbedingt einige Wochen aussetzen müssen, oder dass sie älter sind und eben keine 20plus-Meilentage wandern können, wo ein Flip-flop eine echte Alternative ist, seinen Thru-hike doch noch an einem Stück zu schaffen.

Neben jenen drei Thru-hikes am Stück gibt es die Möglichkeit, den Appalachian Trail als *Section-hike* zu planen und so die Gesamtlänge über mehrere Jahre etappenweise zu erwandern. Vor Leuten, die an einer solchen Option dranbleiben, ziehe ich meinen Hut.
Es ist eine Sache, sich einmal seine Trailfitness zu erarbeiten und dann mehr oder weniger flott den ganzen Trail bis zum Ende zu wandern; es ist aber eine gänzlich andere Sache, sich jedes Jahr wieder aufzumachen, um da zu beginnen, wo man das letzte Mal aufgehört hat, sich für ein paar Wochen wieder mühevoll einzuwandern, und wenn man gerade im Tritt ist, muss man erneut abbrechen, um das Ganze beim nächsten Mal zu wiederholen.

Als ich Anfang September 2007 auf Katahdin meinen Northbound Thru-hike beendete, war am selben Tag ein junger Mann aus New Jersey am Gipfel, der seinen zwölfjährigen Section-hike am Appalachian Trail zu Ende gebracht hatte. Für Woodstock, sein Trailname, war es beruflich anders nicht zu machen gewesen, als dass er jedes Jahr seinen Urlaub dazu verwendete, Etappe für Etappe den ganzen Trail zu wandern.
Das Jahr darauf traf ich zwischen den beiden Baldpate Mountain Gipfeln ein angenehmes Ehepaar aus Köln mit Trailnamen Hänsel und Gretel. Die beiden wanderten seit 2003 den Appalachian Trail Abschnitt für Abschnitt und waren nun dabei, die noch fehlende Etappen in Maine zu laufen, um das ganze Unternehmen zu vervollständigen.
Wie gesagt: Châpeau – für alle! Das ist eine Leistung, die ich einfach enorm finde.
Bei den Kölnern kommt noch hinzu, dass sie keine Jungspunde mehr waren, die das alles leichter wegstecken; zudem mussten die beiden jedesmal neben dem Einwandern anfangs auch mit Jetlag klarkommen.

-5-

Nachdem man üblicherweise etwa alle sieben Tage in einer Ortschaft einkehrt, um neuen Proviant zu kaufen und sich einen Ruhetag vom Trail zu gönnen, ernährt man sich an den Tagen dazwischen von seinem Proviant im Rucksack.
Bei beiden Thru-hikes fand ich den Proviant das 'Teil', das am meisten wog. Der Vorteil aber ist, dass dieser Posten von Tag zu Tag leichter wird. So ist natürlich der Tag, an dem man in eine Stadt hineinkommt, der allerschönste, weil der Rucksack fast leergegessen und daher schön leicht ist. In Gegenzug dazu ist der Tag, an dem man mit frischen Vorräten wieder aus der Stadt hinauswandert - und ja, meist auch noch bergauf - der allerschlimmste: der Rucksack ist gesteckt voll und wiegt entsprechend.
Am Trail gibt es diverse Kochsysteme, die bei Hikern beliebt sind. Die einen haben kleine Gaskartuschen mit Kocherteil, andere nutzen leichte Kocher, die mit reinem Alkohol als Brennstoff funktionieren, wieder andere kochen auf einem Holzkocher, was den Vorteil hat, dass man Ästchen und Reisig vom Wald nutzen kann, was allerdings dann nachteilig wird, wenn es regnet, und der natürliche Brennstoff nass ist.
Meine Wahl war beide Male ein kleiner Esbit-Kocher, wie er bei der Bundeswehr verwendet wird. Die Esbit-Würfel stinken zwar ungeheuerlich, weshalb man sie in dreifacher Plastikumwicklung in einer Seitentasche des Rucksacks verstauen sollte, aber der Kocher ist leicht, unkompliziert und die Würfel gibt es auch in den Staaten entlang des Trails zu kaufen, oder, was noch besser war: in Hikerboxen umsonst!

Hikerboxen sind Kisten, die in Hostels oder anderen Unterkünften entlang des Trails aufgestellt sind, wo eben regelmäßig Hiker vorbeikommen und hineingeben, was sie nicht mehr brauchen oder wollen. Wenn man etwas benötigt, empfiehlt es sich, zuerst eine Hikerbox zu inspizieren, bevor man losläuft und etwas nachkauft, denn oft hat man Glück und findet sogar, was man braucht. Das ist eine sehr feine Sache.
Was Esbit angeht, so schien das System bei den Hikern nicht so beliebt zu sein, wohl wegen der stinkenden Würfel, die witzigerweise in Amerika einen eher fischigen Geruch haben, während deutsches Esbit richtig fies nach Katzenurin stinkt. Egal, ich habe bei beiden Thru-hikes nur einmal Esbit-Würfel nachkaufen müssen, alle anderen habe ich in Hikerboxen gefunden oder sogar am Trail von Section-hikern geschenkt bekommen.

Grundregel für jeden Proviant ist, dass er leicht, hochkalorisch und sättigend sein sollte. So kommen je nach persönlicher Vorliebe mehr oder weniger immer ziemlich dieselben Lebens-

Verschiedene Frühstücksszenarien: Müsli- und Sportriegel für unterwegs; im Schnitt acht bis zehn Riegel pro Tag

mittel in den Rucksack: Mac'n'Cheese und andere Fertiggerichte, die man mit heißem Wasser aufkocht; diverse Trockenfertiggerichte von namhaften Outdoorfirmen, die auch nur heißes Wasser benötigen und etwas ziehen müssen. Meine Wahl waren in allerlei Varianten asiatische Ramennudeln und Idahoan Mashed Potatoes. Die Ramennudeln peppte ich auf mit Einzelpackungen Thunfisch oder Lachs, die es bereits in vielerlei Geschmacksrichtungen mariniert zu kaufen gibt, außerdem noch mit ein bis zwei Löffeln Philadelphia Frischkäse.
Manchmal hatte ich auch eine Dose Cornedbeef dabei, das ich anstelle von Fisch in die Ramennudeln gab. Einen Topf davon als Abendessen im Camp und ich war nicht nur pappsatt sondern auch restlos zufrieden. Bis heute habe ich mich daran nicht abgegessen, weil ich mit diesen paar Lebensmitteln solche Variationsmöglichkeiten hatte, dass ich das Ganze immer mit Genuss essen konnte.
Frühstück und Mittagessen bestanden großteils aus Müsli- und Sportriegeln unterschiedlichster Geschmacksrichtungen, außerdem Chips und Tacochips aller Arten, mit dunkler Schokolade überzogener Salzbrezeln oder Rice Crispy Riegeln; manchmal hatte ich auch amerikanisches Brot im Rucksack, was aber schnell zu einem großen Ball verklumpte, sodass ich das nicht so oft mitnahm.
Nachdem ich Wasser ohne Geschmack nicht mag, hatte ich einzelne Packungen Gatoradepulver oder andere Getränkepulver dabei, mit denen ich das Wasser mischte. Bei diesen Pulvern gibt es extra welche für Sportler, die den Elektrolytverlust durchs Schwitzen gut ausgleichen, dennoch hatte ich für alle Fälle auch Magnesium Verla in Pulversachets aus Deutschland dabei.

Essenkochen am Trail
vor dem Anstieg zu den Crocker Mountains
in Maine

Juni 2008

Und weil gerade die Rede von Getränken ist: Man halte sich beim Ausrüstungskauf erst gar nicht damit auf, bei den Trinkflaschen oder gar Sigg-Bottles ein geeignetes Exemplar auszusuchen. Das ist vergebliche Liebesmühe. Undurchsichtige Flaschen nimmt man schon deshalb nicht, weil man nicht erkennen kann, was sich in der Flasche drin so absetzt, doch genau das wird im Laufe eines Thru-hikes so kommen. Auch durchsichtige Flaschen haben draußen am Trail keine lange Lebensdauer, eben weil sich nach einer Zeit in den Flaschen Glibberzeug bildet, das man nicht dauerhaft loswird.
Die Lösung ist sehr einfach und günstig: stabile Gatoradeflaschen oder die großen, ebenso stabilen Vitamin Water Getränkeflaschen, die es in den USA überall gibt, tun den Job hervorragend und werden bei jedem Stadtaufenthalt oder bei günstig gelegenen Tankstellen regelmäßig durch neue Flaschen mit Getränk ersetzt. Man möchte ja nicht krank werden.
Wer ein Wasserfiltersystem nutzt, das auf bestimmte Trinkflaschen passt, sollte ausprobieren, ob das System mit den zusammenrollbaren Platypus Wasserbehältern funktioniert und sich so die regulären Outdoor-Trinkflaschen sparen lassen.

In den Städten war ich gewöhnlich wild auf Bananen, Salate, Ben&Jerry's Eiscreme und Milch. Da kam es schon vor, dass zu meinem Frühstück ein großer Becher Ben&Jerry's Strawberry Cheesecake oder Caramel Sutra gehörte, zwei Pint Milch und mehrere Bananen, bevor ich auf den Trail zurückkehrte. Einmal habe ich mich in Pearisburg, Virginia, auf dem Weg aus der Stadt bei Dairy Queen, einer Systemrestaurantkette für Eis, derartig lange aufgehalten, dass ich erst mittags auf den Trail zurückkam.

Eine etwas explosive Mischung, die ich auf meinem 2007er Thru-hike entdeckt habe, war ein großer Becher Ben&Jerry's Eiscreme und eiskaltes Mountaindew – das habe ich vor dem Wandern allerdings nur ein einziges Mal gemacht, dann nie wieder. Eisgekühltes, kohlensäurehaltiges Getränk trifft auf Sahneeiscreme im Magen: the party's on!

Allgemein wird einem empfohlen, das Wasser, das man am Trail aus Stömen, Quellen und Flüssen holt, vor dem Trinken zu entkeimen.
Große Hysterie gibt es wegen drei Dingen: Giardia, Lyme-Disease und Poison Ivy.
Giardia (Gardien) kann sich in den Wasserquellen befinden und dazu führen, dass man schlimmen Durchfall und Magenprobleme bekommt, deretwegen man in ärztliche Behandlung muss.
Lyme-Disease ist Borreliose, die durch Zeckenbisse übertragen wird und ebenso ärztlich behandelt werden muss. Der gesamte Appalachian Trail ist Borreliose gefährdetes Gebiet, daher muss man sich jeden Tag sorgfältig nach Zecken absuchen. Es kommt immer wieder zu Infektionen auf dem Trail.
Poison Ivy, Giftefeu, soll auch so ziemlich überall am Trail wachsen und ist sehr unangenehm, wenn man es auf die Haut bekommt, weil es sofort heftig juckende Blasen und Hautausschlag gibt, für die man Cortison benötigt, um die Folgen von Giftefeu zu behandeln.
Im Deutschen wird die Pflanze als Eichenblättriger Giftsumach bezeichnet. Sie gehört in die Familie der Toxicodendren. Der Pflanzenbestandteil, der diese heftigen Hautreizungen versursacht, ist das Urushiol, das im gelblich-weißen Saft des Giftefeus enthalten ist und beim Berühren sofort übertragen wird. Heimisch ist der Giftefeu in Nordamerika, inklusive Kanadas, aber mittlerweile auch in Teilen Mexicos, der Karibik und Nordostasiens.

Die Sache ist die: überall soll es dieses Poison Ivy geben; die Daumenregel ist, bei Pflanzen mit Dreierblattformationen auf Abstand zu gehen, denn Poison Ivy kann alleine stehend wachsen, an Bäumen hochranken, aber auch als eine Art Strauch stehen. Und es sieht eben nicht aus wie Efeu. Aber keiner konnte mir dieses hochgefährliche Zeug zeigen.
Vor lauter Poison Ivy Hysterie der einheimischen Hiker habe ich mich bei meinem Northbound 2007 nicht getraut, irgendwas anzufassen, das drei Blätter hat, aus Angst, es könne Giftefeu sein.
Beim Southbound war es mir relativ egal, denn ich kann nach wie vor diese Pflanze nicht identifizieren, die allerorts am Trail wachsen soll und derartig ätzende Wirkung hat. Ich habe mich lediglich daran gehalten, meinen Rucksack niemals mit der Trägerseite gegen einen Baumstamm mit Rankpflanzenbewuchs zu lehnen, nicht, dass da am Ende tatsächlich Poison Ivy wächst und ich das Zeugs über meinen Rucksack auf den Rücken bekomme, was fatal wäre. Mit dieser Vorsichtsmaßnahme bin ich beide Male auf dem AT gut gefahren.

Beim Thema Giardia bin ich mir nicht sicher, was ich davon halten soll.
Ich kam im April 2007 mit einem UV-Licht-Wasserentkeimungssystem auf den Trail, weil ich im Vorfeld natürlich gelesen hatte, dass man kein unbehandeltes Wasser in den Bergen trinken solle.
Meine UV-Lampe hat bis zur Mitte der Smokies auch tadellos funktioniert, als sie mir mit einem Mal kaputtging, und so stand ich mitten im Nationalpark ohne Wasserfilter da und habe von da an bis zur Stadt Hot Springs unbehandeltes Wasser aus diversen Quellen getrunken.
Was sollte ich auch groß tun?
Ich bin nicht krank geworden. In Hot Springs habe ich mir den gleichen UV-Lichtfilter erneut gekauft und ihn auch bis zum Ende genutzt.
Bei meinem Southbound fiel mir in der Hundred Mile Wilderness beim Entkeimen einer Flasche Wasser auf, dass ich auf die Art und Weise, in der ich mein Wasser seit April 2007 entkeimt zu haben glaubte, schon längst Giardia hätte bekommen müssen, denn für gewöhnlich nahm ich die Wasserflasche und tauchte sie in die Wasserquelle ein, bis sie voll war, dann holte ich meinen UV-Filter, der lediglich eine Stablampe ist, die man auf handelsübliche Trinkwasserflaschen der Marke Nalgene schrauben kann.
Während beim Entkeimen der Inhalt meiner Wasserflasche durch das UV-Licht entkeimt wurde, blieben die Wassertropfen am Flaschenhals unbehandelt.
Bei diesen Giardiakeimen reicht aber der minimalste Bruchteil eines Tropfens, um sich die Magen-Darmprobleme zu holen. Ich habe aus dieser Flasche mit den unbehandelten Tropfen am Rand getrunken, oder das Wasser zum Kochen verwendet. Im Laufe meines 2007er Thruhikes kam mein Trinkwasser aus Bergquellen, Flüssen, tanninbraun verfärbten Rinnsalen, aus Seen und größeren Teichen – wo es halt Wasser gab; da kann man nicht wählerisch sein, wenn man Durst hat.
Allein im Bundesstaat New York, wo während der Sommermonate viele Wasserquellen austrocknen, ist man oft auf zweifelhafte Wasserdepots angewiesen. Und gerade im Sommer sind viele Wasserstellen lauwarm, also im Grunde ein hervorragender Nährboden für allerlei Keime. Dennoch bin ich die ganze Zeit über nicht krank geworden.
Als mir also diese ganze Sache in Maine auffiel, filterte ich mein Wasser ab da nicht mehr. Ich hatte den UV-Filter zwar noch bis Hanover, New Hampshire, im Rucksack, dort schickte ich ihn aber nachhause.
Von Maine an bis nach Georgia trank ich das Wasser also unbehandelt, wie ich es in den Bergen, in Seen, Flüssen, Bächen oder Teichen vorfand; es waren wieder lauwarme und tanninbraune Wasserstellen dabei, stehende Gewässer, dünne Rinnsale: ich bin von keiner der Quellen krank geworden.

Auch hinterher, als ich die Trail-Staaten Massachusetts und Connecticut zum dritten Mal wandern musste, weil ich es fertiggebracht habe sowohl auf meinem Northbound 2007 und dann auf meinem Southbound 2008 die Photos von diesen Bundesstaaten fast komplett zu verlieren, infizierte ich mich mit keinen Keimen, obwohl gerade in Massachusetts viele meiner Wasserquellen auch größere Weiher entlang des Trails waren.
Nach Beendigung der beiden Etappen in Neu-England hatte ich noch immer so viel Zeit bis zu meinem Rückflug übrig, dass ich mit einem Mietauto kurzerhand von der Ostküste bis in den Südwesten Colorados gefahren bin, wo ich noch dreieinhalb Wochen mit dem Tourenrucksack in den San Juan Mountains der Rockies unterwegs war und auch dort unbehandeltes Wasser aus allen möglichen Quellen getrunken habe.
Bis heute habe ich kein Giardia gehabt.
Daher kann ich nicht sagen, ob das alles ein ausgemachter Blödsinn ist, oder ob ich einfach immun gegen diese Keime bin, was es angeblich auch geben soll.
Jedenfalls gibt es mittlerweile UV-Lichtentkeimer als leichtgewichtige Ausgabe der Marke Steripen, die klein und handlich sind, sodass man sich dieses Gedaddel mit den sonst üblichen Pumpfiltern sparen kann, die auch noch ziemlich viel Packplatz im Rucksack belegen.
Ratsam ist es allemal, einen Filter dabeizuhaben und zu nutzen, denn wenn man es nicht genau weiß, dass einem das Wasser nichts ausmacht, wäre irgendwo am Trail, womöglich noch in der Hundred Mile Wilderness in Maine, der denkbar ungünstigste Zeitpunkt, sich eine Magen-Darminfektion zu holen.

Nachdem man als Thru-hiker seine Trekkingwäsche in Hostels oder im örtlichen Laundromat der Stadt wäscht, in der man sich gerade zwecks Zwischenstopp aufhält, gibt es noch etwas zum Thema Waschen in den USA anzumerken.
Die Waschzyklen der Maschinen sind gewöhnlich viel kürzer als bei uns in Deutschland und haben auch nicht die hohen Waschtemperaturen unserer Programme. Vermutlich aus diesem Grund enthalten die meisten Waschmittel von Haus aus Chlor als Zusatz. Man sieht sogar Einheimische, die Jarvex (das entspricht unserem Domestos) in den Laundromat mitbringen und zusätzlich zum Waschmittel in die Waschmaschine hineingeben, damit weiße Wäsche auch weiß wird.
Die Sache ist die, dass diese Chlorzusätze im Waschmittel zu unangenehmen Reaktionen auf der Haut führen können. Mir ist es bei meinem ersten Thru-hike nach gut einem Drittel Trail in Virginia so ergangen, als die Temperaturen wärmer geworden sind und man entsprechend mehr schwitzte, dass ich mich immer öfter am Körper habe kratzen müssen, weil meine Haut zu jucken begann, und zwar nur da, wo Textilien waren.

Zuerst dachte ich, es sei ein Ausschlag (der Poison-Ivy-Hysterie unter Northboundern wegen vermutete ich sogar, mir unbemerkt dieses Teufelszeug unter die Kleidung gebracht zu haben) aber da war nichts auf der Haut zu finden, und so blieb ich erst einmal ratlos, was die Ursache dafür sein könnte.
Als ich mir schließlich im Laundromat in Glasgow, Virginia, gerade ein Waschpulverpäckchen aus dem Automaten ziehen wollte, war bei einer Marke extra angegeben, dass sie chlorfrei sei, und da fiel es mir wie Schuppen von den Augen, dass hier ein Zusammenhang möglich ist.
Ab da achtete ich darauf, nur noch chlorfreies Waschmittel zu verwenden und hatte tatsächlich nie mehr Probleme mit Juckreiz.

Weil meine beiden Thru-hikes nun etwas länger zurückliegen und schlimmerweise genau das eingetreten ist, was ich vor neun Jahren befürchtet hatte, als ich mir der Waschmittelsache wegen einmal in amerikanischen Drogerien und Supermärkten die Reinigungsmittelabteilungen genauer angesehen habe, hier ein paar Worte zu dem nun auch bei uns grassierenden Reinlichkeits-Overkill:
Die hochaggressiven Reinigungsmittel, die ich damals in den Regalen des US-Einzelhandels habe stehen sehen, die 99,9% Bakterien- und Keimfreiheit im Haushalt versprechen, gibt es mittlerweile auch bei uns überall zu kaufen.
Sogar Flüssig-Seifen haben Desinfektionsmittel als Zusatz, aber auch in Duschgelen und Bodylotions ist dieses Zeug schon enthalten – und das Schlimme ist, hüben wie drüben kaufen die Leute hirn- und kopflos solche Produkte, ohne einmal darüber nachzudenken, ob sie so etwas überhaupt tatsächlich nötig haben!
Wer, bitte, braucht ernsthaft einen nahezu keimfreien Haushalt? Wozu soll das gut sein? Damit am Ende ein völlig geschwächtes Immunsystem dabei herauskommt, das nicht einmal mehr reguläre Bakterien bewältigen kann, die Generationen von Menschen vor uns bisher ohne Probleme wegstecken konnten?
Wieso sollen Kinder in nahezu keimfreier Umgebung aufwachsen – um sich am nächsten Spielplatz gleich eine massive Bakterieninfektion zu holen, weil ihre körpereigene Abwehr nicht mehr mit gängigen Bakterien umgehen kann?
Wer, abgesehen von Ärzten, Krankenhauspersonal, Pflegediensten und Ambulanz braucht im täglichen Umgang tatsächlich dringend Handdesinfektionsmittel und -Gele, wie sie nun allerorten in den Regalen stehen?
Hier kann ich einfach nicht umhin, als einen direkten Zusammenhang mit Allergieaufkommen und solchen Dingen wie Giardia zu sehen, denn Amerikaner sind bereits viel länger der Wir-

kung von derartig übertriebenem Overcleaning ausgesetzt, sodass der Verdacht daher nahe liegt, hier mit einer selbstverschuldeten Misere zu tun zu haben.
Hinzu kommen sicherlich auch Schadstoffbelastungen in Luft, Wasser und Erdboden, die wir insgesamt über den natürlichen Kreislauf wieder in unsere Nahrung und in unsere Körper bekommen.
Aber allein der traurige Fakt, dass es für viele Amerikaner offenbar nicht mehr möglich ist, in ihren großräumigen Bergen - egal, ob Rocky Mountains oder Appalachen - unbehandeltes Wasser trinken zu können, ohne einen Trip in die Notaufnahme des nächsten Krankenhauses zu riskieren, und das, obwohl weder die Appalachen noch die Rocky Mountains auch nur im entferntesten so dicht besiedelt sind wie unsere Alpen, sagt schon einiges aus über das Immunsystem der Menschen dort.
Im übrigen wäre mir nicht bekannt, dass ein Earl Shaffer, ein Myron Avery oder eine Emma Gatewood ihr Wasser am Appalachian Trail entkeimt haben, bevor sie es tranken.
Es ist daher angebracht, hier zu fragen: Wann hat dieses Giardiaphänomen angefangen, und was sind die tatsächlichen Ursachen hierfür?
Und im Zuge dieser Frage gibt es auch für uns eine sehr ernsthafte Frage, die wir uns bezüglich unserer künftigen Lebensqualität stellen sollten:
Möchten wir, dass es uns bald genauso geht und wir nur noch mit Wasserfiltern nach draußen gehen können, weil wir zu glauben meinen, hochaggressive Reinigungsmittel, Körperpflege und anderes für einen möglichst keimfreien Alltag zu brauchen?

-6-

Hygiene am Trail ist dennoch ein Thema. Und dort ist es angebracht, ein kleines Fläschchen Handsanitizer (Desinfektionsgel) im Gepäck mitzuführen und auch zu nutzen, denn man kann sich im Freien nicht die Hände waschen, wenn es nötig wäre – etwa, nachdem man unterwegs austreten musste.
Hinzu kommt, dass man mit fünf bis sechs Tagen Wanderaufenthalt in den Bergen verdreckt, verklebt und verschwitzt ist und daher stinkend wie ein Wiedehopf in der nächsten Ortschaft aufkreuzt. Es ist zwar möglich, sich hin und wieder an Wasserstellen den gröbsten Schmutz abzuwaschen, dem strengen Schweißgeruch in der Kleidung ist allerdings nicht beizukommen.
Ich frage mich wirklich, wie die Einheimischen entlang des Trails jedes Jahr auf's Neue die Horden an stinkenden, verwilderten Thru-hikern aushalten können, die während der Saison in ihre Städte und Ortschaften einfallen.

Es ist ja nicht so, dass alle gleich schnurstracks das Hostel oder Motel aufsuchten, wo sie übernachten wollen, um sich zunächst einmal erst zu duschen und einigermaßen zivil herzurichten - nö, oftmals stürzen Thru-hiker so, wie sie vom Trail kommen, zuerst in ein Restaurant, eine Pizzeria, egal wo, Hauptsache Essen, und davon viel, und im Nu verbreitet sich in den Räumen, in denen auch ganze Familien herausgeputzt beim Essen sitzen, ein olfaktorischer Super-Gau in Spitzenwerten.
Aber kein Mensch würde hier etwas sagen, schon gar nicht in den Südstaaten, wo Appalachian Trail Thru-hiker mit einer sehr großzügigen Southern Hospitality regelrecht verwöhnt werden. Einheimische entlang des Trails von Georgia bis Maine sind ohnehin gegenüber Hikern sehr hilfsbereit; im Süden aber wird man überschwänglich umsorgt. Es kann nun sein, dass dies mir so erging, weil ich als Frau unterwegs war, und die Menschen im Süden gegenüber Frauen für gewöhnlich echte Gentleman-Qualitäten alter Schule an den Tag legen.
Jedenfalls habe ich sehr angenehme Erfahrungen im Umgang mit den Einheimischen entlang des ganzen Trails machen können, davon eben zahlreiche im Süden.
Hier muss noch verdeutlicht werden, dass die Ortschaften, in die man entlang des Trails größtenteils kommt, nicht das reiche Hochglanz-Amerika spiegeln, das man gewöhnlich im Kopf hat. Um die Appalachen herum ist *Smalltown America* mit Einheimischen, die oftmals nicht den gehobenen Lebensstandard haben, den man vielerorts in Deutschland als selbstverständlich ansieht – diese Menschen leben um einiges bescheidener, aber sie haben ein Herz aus Gold und sind unglaublich hilfsbereit und großzügig.

Hiker finden schnell Mitfahrgelegenheiten, die Leute fahren manchmal sogar einen Umweg, um einen Hiker in eine bestimmte Stadt zu befördern, die gar nicht auf dem eigentlichen Weg lag.
Als ich in einer Gap meinen Rucksack im dichten Unterholz versteckt hatte, um westlich des Trails eine Meile auf der Bundesstraße entlang zu einem kleinen Café mit Minimarkt zu laufen, hielt ein reizendes älteres Ehepaar neben mir und bot mir an, mich in die nächste Stadt mitzunehmen.
Diese Leute hatten ein picobello gepflegtes Auto mit beigefarbener Innenausstattung, auf der kein Stäubchen auszumachen war - einmal abgesehen davon, dass ich das freundliche Angebot sowieso nie akzeptiert hätte, wäre ich in dem Zustand, wie ich da gerade aussah, in das Auto gestiegen, die armen Leute hätten hinterher eine Vollreinigung machen lassen müssen.
Ich war gerade zwischen zwei Ortschaften befindlich und hatte etwas Regen und Matsch am Trail hinter mir, war außerdem schweißverklebt, weil es sehr sommerliche Temperaturen in Virginia hatte, und die allgemeine Hiker-Duftnote stand auch schon wieder in voller Blüte.

Und diese netten Leute halten mitten auf einer Landstraße im Nirgendwo an, um einer unbekannten, verdreckten Hikerin eine Mitfahrgelegenheit in die nächste Stadt anzubieten.

Bei einem Kleinstadtaufenthalt erfuhr ich von einem Einheimischen bei meinem Southbound, dass etliche Wasserquellen auf dem AT südlich von James River bis fast zu den Tinker Cliffs ausgetrocknet seien, aber ich müsse mir keine Sorgen machen, er schaue an strategisch günstigen Stellen nach dem Rechten.
Wie ich später an diese Stellen am Trail kam, hatte Ken Wallace aus Glasgow, Virginia, so, dass ich gar nicht daran vorbeilaufen konnte, Trinkwasserkanister bereitgestellt, sogar bei einem Shelter, das ich erst am Abend erreichte, stand noch einer bereit, mit handschriftlichem Gruß an Alpine Strider.

In Pearisburg, Virginia, gibt es bei einem Zwischenstopp ziemlich weite Strecken zu laufen, denn Hostel, Postamt, Laundromat und WalMart liegen recht ungünstig voneinander entfernt. Als ich bei meinem 2007er Thru-hike endlich den Laundromat erreicht hatte und am Geldwechselautomat Quarters (25 Cent Münzen) für Waschmaschine, Waschpulver und Trockner ziehen wollte, stand ich vor einem defekten Gerät.
Neben dem Laundromat ist die Feuerwehr, wo an diesem Nachmittag Männer aller Altersgruppen ein Treffen hatten.
Da bin ich also hinübergelaufen, in der Hoffnung, einige Quarters wechseln zu können, und wie ich dem ersten der Herren dort meine Problematik erklärt hatte, trommelte der sofort seine Männer zusammen und befahl ihnen, nachzusehen, wer alles Quarters habe, *"because this lady here needs some change or she can't do her laundry. So let's see how we can help her out!"*
Im Nu hatte ich eine Handvoll Quarters, für die die Männer im Gegenzug keine Dollarscheine annehmen wollten: *"That's okay – you are very welcome!"*
Das Jahr darauf hatte ich wieder einen Zwischenstopp in dieser Stadt, wo es diesmal regnete, als ich mich zum Laundromat aufmachte. Auf dem Weg gabelte mich ein Einheimischer auf und fuhr mich zur Münzwäscherei, und noch bevor ich aussteigen konnte, holte der Mann eine Handvoll Quarters aus seiner Hosentasche, mit den Worten, dass ich die sicher brauchen könne und wünschte mir einen angenehmen Aufenthalt in Pearisburg.

Der Hiker-Jargon hat einen Begriff für solche Menschen, die einem um den Trail herum behilflich sind oder unerwartet Gutes tun: das sind *Trail-Angels*.
Und davon gibt es vom Süden bis in den Norden etliche. Es leben sehr viele hilfsbereite und großzügige Menschen um den Trail herum, die Hikern aushelfen. In manchen Städten gibt es

sogar Telefonlisten mit Leuten, die man als Hiker anrufen kann, wenn man ein Shuttle benötigt. Das ist etwa bei Rockfish Gap, im Norden Virginias der Fall. Dort gibt es ein Touristen-Informationsbüro, gleich in der Nähe vom südlichen Eingang in den Shenandoah Nationalpark. Nahe Rockfish Gap liegt die Stadt Waynesboro, mit deren Namen man zunächst nicht viel anfangen kann, bis man DuPont hört – eine Weltmarke, die aus Waynesboro, Virginia, am Fuße der Appalachen stammt.
Weil sich zwischen Rockfish Gap und Waynesboro ein Interstate befindet, eine Autobahn, kann man nicht zu Fuß in die Stadt gelangen.
Deshalb gab es im Sommer 2007 für jeden Hiker an der Touristeninfo eine kleine Zip-loc goodie bag mit allerlei brauchbaren Dingen, wie Mini-Waschzeugs, Pflaster, Kaugummi, diversen Bonbons und einer Liste mit Trail-Angels für Shuttle Services in die Stadt. Diese Zip-loc bags haben Frauen aus einer der Kirchengemeinden Waynesboros für die Appalachian Trail Thru-hiker zusammengestellt.
Für den Fall, dass die Touristeninfo geschlossen sei, war auch am Gebäude außen eine laminierte Liste angebracht.
In Waynesboro durften Thru-hiker unentgeltlich die Duschen und Waschräume der örtlichen YMCA Sportstätte nutzen, außerdem auf einer Wiese, die zum Gelände gehört, campieren. Dort sind Picknicktische und ein Grill – man kann sich also ausmalen, was da im Sommer los ist, mit Thru-hikern, die es außerdem in der Stadt einmal wieder richtig krachen lassen, bevor es in den Shenandoah Nationalpark hineingeht.

Sehr oft läuft man unversehens am Trailende bei einer Gap oder einem Parkplatz in sogenannte *Trail-Magic*. Das können extra für Thru-hiker vorbereitete Barbecues sein, wo man mit Hamburgern, Hotdogs und allem Drum und Dran verwöhnt wird, wenn man vom Trail kommt, oder aber es stehen am Traileinstieg in der Nähe der Straße Kühlboxen mit allerlei eisgekühlten Getränken, aus denen man sich bedienen darf.
In Pennsylvania habe ich einmal eine hübsche Retrobox aus den 60er Jahren stehen sehen, in der war sogar Steckerleis drin, neben eiskalten Getränken und diversen Schokoriegeln.
Da gibt es alle möglichen Varianten von Trail-Magic, die natürlich immer hochwillkommen sind! Die Freude, als Thru-hiker überraschend an einer solchen Kühlbox vorbeizukommen, ist unbeschreiblich.
Man möchte oft nichts mehr als ein eiskaltes Cola, was es in den Bergen natürlich nicht gibt und aus Gewichtsgründen auch nicht im Rucksack mitgeschleppt werden kann, also phantasiert man am Trail vor sich hin, was man sich als erstes in einer Stadt gönnen werde, noch dazu, während es heiß ist und man nur sein lauwarmes Wasser in der Trinkflasche hat – und

– Trail-Magic, baby!

da kommt man an eine Gap und am Trailende steht eine dieser magischen Kühlboxen mit Schild drauf: *Thru-hikers, enjoy!*
– Und wie wir das tun! So schnell bückt man sich mit Tourenrucksack am Rücken sonst nicht, um einen Deckel zu öffnen!
Das ist wirklich ein Gefühl wie Weihnachten.
Die Leute, die diese Boxen dort abstellen, machen das manchmal sogar regelmäßig über längere Zeiten, sodass viele Hiker an derselben Stelle freudig überrascht werden.
Hinter solcher Trail-Magic stehen auch Kirchengemeinden, die ihre Box während der Saison an einer Stelle platzieren und sie regelmäßig auffüllen. Bei meinen beiden Thru-hikes 2007 und 2008 bin ich in Virginia an derselben Stelle am Trail an einer Trail-Magic vorbeigekommen, die von einer Methodisten-Kirchengemeinde versorgt wurde; es war beide Male sogar dieselbe weiße Box mit eisgekühlten Tropicana Orangen- und Apfelsäften.
Das ist natürlich der absolute Tophit, wenn man sich vom Vorjahr noch erinnert, da könnte eine Überraschung stehen und voilà: es ist tatsächlich eine da!
Auch in Kinsman Notch, New Hampshire, vor dem Aufstieg zu Mount Moosilauke, gab es eine unvermutete Trail-Magic mit Crackers, Apfelmusbechern und Schokoriegeln – nachdem ich jedoch extra drei Snickers für den strammen Aufstieg aufgehoben hatte, aß ich meine Snickers, dafür aber mit Apfelmus.

Trail-Magic und Trail-Angels sind schon ein feines Zuckerl auf dem AT – es kommt aber noch mehr: ausgesprochene Glücksfälle, die am Trail geschehen.
Bei meinem Northbound 2007 war ich gerade im General Store in Rangeley, einem hübschen

kleinen Ort in Maine, einige Besorgungen machen, als mich eine junge Frau namens Alicia darauf ansprach, ob ich Thru-hiker sei. Wir unterhielten uns im Store, als ihr Vater dazukam und mich spontan zu einem Dinner mit der ganzen Familie einlud!
Auf ging's im Auto zum geräumigen Sommercottage der Familie, wo von den Großeltern bis zu den Tanten alle da waren und ein Riesenbarbecue im Gange war. Man wartete nur noch auf Alicia und ihren Vater, die eben noch etwas im Ort besorgen sollten, damit alles zu Tisch konnte.
Und so kam ich zu einem köstlichen homemade Dinner im Kreise einer großen, netten Familie, die mich natürlich zu meinem Thru-hike befragte.
Hinterher ging's noch nach Rangeley zum Eisessen, und dann brachten mich Alicia und ihr Vater zurück zur Gull Pond Lodge, wo ich an diesem Tag mit anderen Hikern eingekehrt war.
Solche Dinge passieren gar nicht so selten – die Leute freuen sich mitunter so über die Leistung, die ein Thru-Hiker in ihren Augen fertigbringt, dass Hiker zum Essen eingeladen oder gar für die Nacht mit nachhause zur Familie genommen werden, wo ihnen die Wäsche gewaschen wird und wo sie mit der Familie essen. Am nächsten Tag bringen diese begeisterten Menschen die Hiker frischgewaschen und versorgt wieder auf den Trail zurück.

Bei meinem Southbound geriet ich in Maine zwischen beiden Crocker Mountain Gipfeln auf einer Art Sattelmulde abends in ein heftiges Gewitter, das mit einem Mal mit Blitzen und Donner losbrach, sodass ich mich nicht mehr über den zweiten Gipfel traute. Also campierte ich im Biwaksack in der Mulde unter einem Busch, während in der Nacht noch zwei weitere Gewitter mit Regenguss über die Berge zogen.

In der Früh gab es strahlenden Sonnenschein, als ob nichts gewesen sei; die Nacht in meinem Outdoor-Biwaksack allerdings war dem Umständen entsprechend bescheiden gewesen, weil ich mir natürlich Sorgen gemacht hatte, dass mich da oben am Berg Blitze erwischen, ganz zu schweigen davon, dass man bei dem Getöse sowieso kein Auge zubekommt.
Der Abstieg auf der anderen Seite des Berges geschah auf einem Trail, auf dem das Wasser knöchelhoch hinunterstürzte, als stieg ich in einem kleinen Bachbett ab.
Unten angekommen hätte die Durchquerung des Carrabassett Rivers angestanden, um auf der anderen Flussseite zum Gipfel von Sugarloaf Mountain aufzusteigen. Die nächtlichen Gewitter aber hatten aus dem Carrabassett River einen reißenden Wildwasserfluss gemacht, bei dem gar nicht daran zu denken war, auch nur zu versuchen, durchzuwaten.

Carrabassett River in Maine am 11. Juni 2008:
Da geht normalerweise der Trail genau durch; am anderen Ufer sind die white blazes zu sehen ...
– irgendwelche Freiwillige, die da mit Tourenrucksack durchlaufen wollen..?

Ich stand also am Ufer und sah ratlos auf die weiße Trailmarkierung an einem Baum am gegenüberliegenden Ufer, wohin ich durch den reißenden Fluss unmöglich gelangen konnte.
Ein Blick auf die Karte zeigte, dass ich nur die Möglichkeit hatte, etwa sieben Meilen entlang des Flusses aus dem Caribou Valley zu einem Highway zu laufen, und dann noch ein paar Meilen den Highway entlang bis zum Sugarloaf Mountain Skiresort, von wo aus ich über die Skipiste des Berges zum Gipfel aufsteigen könnte – ein Riesenumweg, und das in einer Gegend, in der im Juni sowieso kein Mensch unterwegs ist und es auch keine Ortschaft weit und breit gibt, nur Berge, Flüsse, ein einsamer Backcountry-Highway und eine noch einsamere Forststraße, auf der ich nun marschierte.
Ich ärgerte mich schon im Stillen über diesen langen Hatscher, der mich einen ganzen Tag kosten würde, als plötzlich ein SUV die Straße hochgefahren kam, und bevor ich ihn sehen konnte, mir schon die bekannte Stim-

me von Bob O'Brien von der Gull Pond Lodge entgegenrief: *"Alpine Strider! – Shouldn't you be in Germany right now?"*
Das war ja ein Ding! Oder, um es mit Bob O'Brien's eigenen Worten auszudrücken: *"Ain't that a kick?"* – Es stellte sich heraus, dass Bob ein Ehepaar aus Pennsylvania im Wagen hatte, das die Etappe vom Carrabassett River aus über Sugarloaf Mountain und die Saddleback Range wandern wollte, weshalb er die beiden dort hinbrachte.
Ein Blick auf den reißenden Fluss überzeugte auch die beiden aus Pennsylvania, dass der Weg erstmal nicht so das Wahre sei, und so fuhr Bob uns drei zum Skiresort. Ganz nebenbei hatte ich auch noch mein Schlafplätzchen für ein paar Tage später nach der Saddleback-Range in Bob's gemütlicher Lodge gesichert – besser konnte es gar nicht mehr werden!

-7-

Wie schon angeschnitten, muss man nach einiger Zeit vom Trail herunterkommen, zumindest, um neuen Proviant einzukaufen.
Auf dem AT gibt es einige echte Hardcore-Hiker, die tatsächlich nur den nächsten Supermarkt oder General-Store ansteuern, sich ihr Zeug besorgen, dann noch vielleicht Hamburger und Pizza, und danach sofort zum Trail zurückkehren. Diese Methode spart natürlich sehr viel Geld, denn man bekommt gar nicht erst die Gelegenheit, viel auszugeben, nachdem man ja sofort wieder am Trail weiterwandert.
Die meisten Hiker aber bleiben zumindest bis zum nächsten Tag in einer Ortschaft.
Dieser Tag wird im Trailjargon als Near-O-Day bezeichnet, was bedeutet, dass man kaum Meilen am Trail zurückgelegt hat. Leider aber wird man die Meilen zwar meist ohne Rucksack, aber mit anderen Dingen in den Händen in der Stadt zurücklegen, um seine etlichen Besorgungen zu machen.
Es ist trotzdem erholsamer, weil man ohne Rucksack auf den Schultern geradezu leichtfüßig unterwegs ist; sowas kennt man nach Tagen in den Bergen ja nicht mehr als die normale Fortbewegungsmethode. Denn die ist am Trail: mit Rucksackgewicht marschieren.
Aber es gibt die sogenannten *town-chores* zu erledigen.
Nachdem ein Hostelplatz oder Motel belegt wurde, stehen natürlich gründliche Duschfreuden und etwas zu essen an. Dann in persönlich variabler Reihenfolge Bibliothek (freier Internetzugang), Laudromat (Hikerwäsche waschen und trocknen), Postamt (Dinge nachhause-, oder sich selbst ein Päckchen am Trail vorausschicken) und Supermarkt. Eventuell muss man auch zum örtlichen Outfitter, dem Sportgeschäft, weil Ausrüstungsgegenstände kaputt gehen oder

neue Wanderschuhe nötig sind. Und während dieser Erledigungen hat man dann gewöhnlich seinen 'breather' - die Verschnaufpause vom Trail.
Hinzu kommen die eher lustigen und angenehmen Seiten in einer Stadt, wo man auf andere Hiker trifft, solche, die man noch nicht kannte, oder welche wiedersieht, die schneller unterwegs waren – da gibt es viel zu bereden!
Zumindest bei einem Northbound.
Bei einem Southbound ist man auch in den Städten eher für sich, da ja kaum je andere Southbounder zur selben Zeit am selben Ort unterwegs sind.
Zum socializing mit Anderen kommen noch Kontakte mit den Einheimischen dazu, die für gewöhnlich sowieso sehr angenehm sind. Ich weiß, dass ich mich hier wiederhole, aber es ist einfach überwältigend, wie gastfreundlich, herzlich und positiv die Menschen in den Ortschaften um die Appalachen herum den Hikern begegnen.
Auch hier ist der gelebte Geist deutlich zu spüren, der hinter den genannten drei Mottos zum AT steht, denn auch diese Menschen in den umliegenden Ortschaften sind ein Teil der Trail-Communitiy, und sie bereichern den Trail ungemein. Am Ende ist es ja nicht nur der Trail in den Bergen, es sind auch die Erfahrungen drumherum, die das ganze Erlebnis eines Thruhikes ausmachen.
Das ist es vielleicht auch, um hier etwas vorzugreifen, was es am Ende so schwer macht, den Trail endgültig zu verlassen und zurück in sein Alltagsleben zu gehen.
Der Endpunkt auf Katahdin oder Springer Mountain hat eine lachende und eine weinende Seite an sich, eine Zerrissenheit, die vielen Hikern erst jäh an diesem Punkt klar wird.

Wer dem Near-O-Day in der Stadt noch einen weiteren Rasttag anhängt, macht einen Zero-Day, also null Meilen auf dem Trail.
Es kommt auf jeden Hiker selbst an, wie er es mit den Pausen in Städten hält; manchmal braucht man einfach noch einen Tag, oder aber das Wetter ist gerade sehr unpopulär - etwa Schnürl-Dauerregen. Da wandert kein Mensch aus einer Stadt hinaus. – *No way!*
Stadtaufenthalte sind etwas kostspielig, weil man auch geneigt ist, sich für die Strapazen vom Trail etwas zu verwöhnen, denn schließlich muss die moralische Grundverfassung ebenso gepflegt werden.
Bei mir hat es sich im Laufe meines ersten Thru-hikes so eingependelt, dass ich zusah, möglichst nur Near-O-Days in Städten zuzubringen, wieder aus Gründen der Moral, denn die Ortschaften sind verlockend, so verlockend sogar, dass manche Hiker dort hängen bleiben, weil Komfort und anderes einfach dazu verführen.

Trail Days in Damascus, Virginia; Mai 2007. Das ist *die* jährliche Festivität zum Appalachian Trail

Allerdings gibt es auch hier Ausnahmen, wo sich ein oder sogar zwei zusätzliche Tage sehr lohnen, und das wären Damascus, Virginia, als Northbounder während der Trail Days, und für Hiker beider Richtungen Harpers Ferry in West-Virginia.

Trail Days sind das große Event zum Appalachian Trail, die jedes Jahr im Mai in Damascus stattfinden, wenn gerade die meisten Northbounder in Virginia eintreffen.
Der ganze Ort ist gesteckt voll mit Hikern, und zwar auch solchen, die den Trail die Jahre zuvor gewandert sind, den Alumni. Es gibt zahlreiche Veranstaltungen rund um das Thema AT, außerdem sind namhafte Ausrüstungshersteller vor Ort, wo man gute Deals für Top-Ausrüstungsteile ergattern kann – insgesamt pulsiert die kleine Stadt nur so vor Leben und guter Laune. Trail Days sind eine mehrtägige Party der gesamten Hiker-Community rund um den Appalachian Trail, an deren letzten Tag die Polizei die Hauptstraße des Ortes für die alljährliche *Hiker Parade* sperrt, die fröhlich durch den ganzen Ort zieht.
Die Festival-Stimmung dort mit guter Laune und allem Drum und Dran lohnt sich allemal, einmal mitzuerleben!

Harpers Ferry am Zusammenfluss von Shenandoah- und Potomac-River ist eine sehr hübsche, alte Kleinstadt mit großem Bestand an historischen Bauten aus der Vor-Bürgerkriegszeit. Gut die Hälfte dieser Stadt ist ein offen zugängliches Freilichtmuseum, dessen Gebäude abends verschlossen werden, tagsüber aber besucht werden können.
Da auch das Museumspersonal historische Kleidung trägt, meint man, einen Ausflug ins 19. Jahrhundert zu machen, als die Damen lange, rüschenverzierte Kleider mit Reifröcken trugen

Harpers Ferry – Blick auf Häuser in der Washington Street; historischer Museumsteil High Street; Häuser in der Washington Street und historischer Museumsteil Shenandoah Street mit Ladengeschäften aus der Bürgerkriegszeit

Harpers Ferry,
West Virginia –
historischer Musumsteil
High Street
mit Museumspersonal

und die Herren Gehrock mit Weste und Zylinder oder Militäruniform – entweder in Unionsblau oder Konföderiertengrau.
Harpers Ferry hat reichlich Bürgerkriegsgeschichte zu bieten und befindet sich nicht weit weg von wichtigen Schauplätzen dieser Zeit, Antietam und Gettysburg, zu denen man von Harpers Ferry aus geführte Besuchstouren buchen kann. Ein längerer Aufenthalt als üblich ist in dieser Stadt die Zeit in jedem Fall mehr als wert.

Anders als bei Hot Springs, Damascus oder Harpers Ferry, durch die der Appalachian Trail direkt hindurchführt - auch nördlich davon gibt es noch einige Städte, die derartig günstig liegen - muss man für eine Ortseinkehr den Trail gewöhnlich in einer Gap verlassen, durch die eine Straße verläuft, von wo aus es entweder nach Osten oder nach Westen ein paar Meilen in die nächste Ortschaft geht.
Roadwalking mit Tourenrucksack und Bergstiefeln ist nicht gerade prickelnd, also hebt jeder früher oder später den Daumen.
Es ist ein Risiko, gewiss, aber am helllichten Tag ein eher geringes. Es versteht sich von selbst, dass man sich natürlich nicht abends oder nachts an den Straßenrand in eine Gap zum Trampen hinstellt, und schon gar nicht als Frau.
Oft hat man schnell Glück, was auch damit zu tun hat, dass Einheimische unterwegs sind, die wissen, wer die verwegen aussehenden Waldschrate da mit Rucksack am Straßenrand sind und einen sofort mitnehmen.

Hikers to Town! – *August* hinten auf dem Pick-up in Georgia; *Sir Privywinks*, *Bigby*, *Ronin*, *Chuck Norris*, ?, ?, *Wishbone* und *Alpine Strider* in Tennessee. Es kam übrigens noch ein neunter Hiker hinten ins Auto!

Und bei einem ride into town gibt es einige Variationen, bei denen ich mir die fassungslosen Gesichter unserer uniformierten Ordnungshüter ganz lebhaft vorstellen kann! – Just relax, guys: this is America!

Rides to town auf amerikanische Art beinhalten offene Ladeflächen von Pick-up-trucks (Baseballcaps und andere Kopfbedeckungen festhalten!); Autos werden grundsätzlich überbesetzt, und es kommen natürlich so abenteuerliche Fahrten vor, wie sie April Showers und Cy Montréal, eine Hikerin aus Connecticut und ein Hiker aus Kanada, im Süden erlebt haben, als ein gutmütiger, etwas älterer Herr sie in seinem Wagen auf dem Rücksitz mitnahm.
Während der Fahrt hielt er das Lenkrad mit nur einer Hand und mit der anderen seine brennende Zigarette, von der er regelmäßig Asche auf den Boden schnippte, wo leere Öldosen munter klappernd herumrollten, und weil der Mann ja mit unseren beiden Hikern ein reges Gespräch führte, kreuzte er mehr als für die hinten Sitzenden komfortabel war, die Mittellinie der Straße, sodass öfters wild hupender Gegenverkehr knapp an den Dreien vorbeirauschte. Die Beiden dachten, sie erreichen die Stadt niemals mehr lebendig.
– Wie gesagt, da kann man schon echte Abenteuer erleben, die hinterher aber allemal besser sind, als zu Fuß gelaufen zu sein.

-8-

Bei allem Spaß ist Sicherheit am Trail allerdings ein wichtiges Thema. Mir war ja recht früh klar, dass ich alleine nach Amerika kommen würde, weshalb ich mich im Vorfeld mit einem unangenehmen Aspekt zum AT beschäftigt habe – den Übergriffen auf Wandernde.
Es ist ja nun einmal leider so, dass es da wo Menschen sind, auch zu Straftaten kommt. Und dass Straftaten gegen Andere nicht Halt machen vor Wandergebieten.

In diesem Atemzug muss einmal auch die Scheuklappenmentalität unserer eigenen Strafverfolgungsorgane angesprochen werden; sowohl in Bayern als auch in Österreich, die ja gerne so tun, als sei in den Alpen ein Hort der Glückseligkeit.
Ein Redakteur aus Tirol hat sich vor einigen Jahren diverse Fälle näher angesehen, die die Polizei auf beiden Seiten der Landesgrenze als Unfälle oder gar Selbstmorde klassifiziert hat, obwohl nähere Indizien eindeutig auf Fremdverschulden hinweisen, also Tötungsdelikte.
Es wäre schön, wenn es Orte gäbe, an denen es nicht zu Verbrechen gegen Andere kommt; es hilft aber ganz bestimmt nicht, ein Idyll aufrecht zu erhalten, das nicht existiert, nur weil man es nicht wahrhaben will, dass auch in den vermeintlich friedlichen Alpen von entsprechend motivierten Personen Verbrechen verübt werden, die ihren Aktionsradius auf Wanderwege ausdehnen.
Umso brutaler wirken sich dann Vorkommnisse aus, die mit keiner rosaroten Sichtweise mehr zu beschwichtigen sind, wie eben im Herbst 2006 die schockierende Straftat an einer 67-jährigen Wanderin am Brauneck in Oberbayern, die auf dem Wanderweg überfallen, mit Handschellen an einem Baum gefesselt und sexuell missbraucht wurde. Dort zurückgelassen, hätte sie sterben können, wäre sie nicht rechtzeitig von einem Jäger gefunden worden.
Der Fall ist bis heute ungelöst.

Es geht bei diesem sehr ernsten Thema nicht um Panikmache, sondern darum, zu wissen, was Sache ist, damit man sich richtig verhalten kann.

Auf dem Appalachian Trail ist es leider zu Tötungsdelikten an Wandernden gekommen. Der Großteil der Opfer sind Frauen, und in dieser Kategorie mit einer besonderen Gefährdung, wenn es für den Täter ersichtlich war, dass sie homosexuell veranlagt waren.
Im Mai 1996 kam es im Shenandoah Nationalpark in Virginia zu einem Doppelmord an zwei jungen Frauen, die eine lesbische Beziehung pflegten. Laura Winnans und Julianne Williams haben wohl bei einer der Besuchszentren im Park, bei denen man in Restaurants essen kann,

die Aufmerksamkeit ihres Mörders auf sich gezogen, der ihnen unbemerkt zur Campstelle nachgeschlichen ist, wo er sie in der Nacht im Zelt überfiel, fesselte und knebelte, und ihnen anschließend die Kehlen durchschnitt.
Der Täter konnte nicht gefasst werden; es gab kaum Anhaltspunkte, wohin ermittelt werden sollte. Erst 1997, als wieder im Shenandoah Nationalpark eine Mountainbikerin gekidnappt wurde, die Frau aber entkommen konnte, wurde ein Verdächtiger gefasst. Allerdings konnte ihm der Doppelmord an den beiden jungen Frauen im Jahr zuvor nicht eindeutig nachgewiesen werden, obwohl er belastende Äußerungen machte. Auch ein anderer dringend Tatverdächtiger konnte nicht überführt werden, weil der sich das Leben nahm, als die Polizei ihn wegen drei anderer Tötungsdelikte festnehmen sollte. Der Fall ist nach wie vor ungeklärt.

In Pennsylvania war es im Mai 1988 zu einem ähnlichen Fall gekommen, als ein lesbisches Paar, das den AT wanderte, die Aufmerksamkeit eines Mannes auf sich zog, der den Frauen offenbar über Tage unbemerkt mit einer Schusswaffe folgte, bis er schließlich mitten am Tag eine der Frauen, Rebecca Wight, aus dem Hinterhalt erschoss, ihre Partnerin Claudia Brenner auch erschießen wollte, doch sie konnte schwerverletzt entkommen und zu einer Straße laufen, um Hilfe zu holen. Der Täter wurde gefasst, für Rebecca aber kam jede Hilfe zu spät.

Neben diesen Fällen, die ohnehin schon beunruhigend genug sind, bereitete mir ein anderer Fall sehr große Bauchschmerzen, denn da gab es den Täter auch noch in unmittelbarer Nähe zum AT, was letztlich bedeutete, dass weiterhin eine potenzielle Gefahr gegeben war, die man sehr schlecht einschätzen konnte.

Jener Fall, der mich sehr beschäftigte, ereignete sich 1981 im Wapiti-Shelter, auch auf dem AT, etwa einen Tagesmarsch südlich von Pearisburg, Virginia.
Dort wurden von einem Einheimischen ein junger Hiker aus Maine, Robert Mountford, und seine Partnerin Susan Ramsay im Shelter ermordet. Randall Smith, der Täter, muss ein sehr schwieriger, eher eigenbrötlerischer Mensch gewesen sein, der die Gegend um das Wapiti-Shelter als sein Revier betrachtete, in dem er keine Eindringlinge duldete.
Bei der Rekonstruktion des Falles zeigte sich, dass eine Pfadfindergruppe noch am selben Tag bei dem Shelter Rast machte, wo die beiden Hiker und auch der Täter bereits zugegen waren. Gemäß der Aussagen der Pfadfinder kam ihnen die ganze Situation etwas unheimlich vor, weil Smith einen recht eigenartigen Eindruck auf sie machte. Sie konnten nicht verstehen, dass die beiden Hiker sich mit ihm abgaben – es war kein Gespräch mit dem Mann möglich, der offen zeigte, dass er mit den Pfadfindern nichts zu tun haben wollte. Sie berichteten weiter, dass die

Hiker sich freundlich um den Mann gekümmert und sogar ihr Essen mit ihm geteilt haben. Was dann weiter geschah, als die Pfadfindergruppe wieder aufbrach, weiß man nicht im Einzelnen. Gesichert aber gilt, dass Randall Smith nachhause nach Pearisburg fuhr, wo er bei seiner Mutter lebte, denn Zeugen haben ihn in der Stadt gesehen.
In der Nacht, als beide Hiker im Shelter schliefen, kam er über eine der Forststraßen in der Gegend um das Wapiti-Shelter zurück und erschoss den jungen Mann direkt im Schlafsack, danach erschlug er die junge Frau mit einer Eisenstange.
Beide Leichen zerrte er in das dicht bewachsene Unterholz des Waldes, wo er sie einzeln versteckte. Das blutverschmierte Shelter wurde zur Horrorüberraschung für nachkommende Hiker am nächsten Tag.
Das große Problem bei diesem Fall war, dass Smith die Mordwaffen erfolgreich verschwinden hat lassen. Obwohl er dringend tatverdächtig war, weder Polizei noch Justiz konnten ihm den Doppelmord eindeutig nachweisen. Man hatte nur Indizien, die für eine erfolgreiche Mordanklage nicht ausreichten. Also kam es zu einem Deal, da die Indizien doch so schwer wogen, dass man den Mann nicht auf freien Fuß setzen konnte, ihn eben wegen Totschlags zu Gefängnis mit anschließender Bewährung zu verurteilen. So kam es dann auch.

Das bedeutete, dass dieser Mensch nach Verbüßen der Strafe wieder auf freien Fuß käme, und da er ja nirgendwohin kann, als zurück zu seiner Mutter nach Pearisburg, wäre er dann wieder in der Gegend.
Das gefiel mir überhaupt gar nicht. Ich rechnete nach, wann Smith aus dem Gefängnis entlassen würde und kam zunächst erleichtert auf einen Zeitpunkt im Jahr 2008. Es sei denn, es gibt solche Dinge wie 'Gute Führung' im US-Strafvollzug.
Also, diese Geschichte gefiel mir ganz und gar nicht.
Daher markierte ich mir die Gegend in meinem Trailguide, dass ich auf keinen Fall in der Nähe des heutigen Wapiti-Shelter übernachtete, und wenn dies bedeutete, dass ich dreißig Meilen auf dem Trail zurücklegen müsse.
Das Shelter, in dem der Mord verübt wurde, ist kurz darauf abgerissen und ein neues Wapiti-Shelter an eine andere Stelle versetzt gebaut worden. Selbst dieses zweite Shelter existiert nicht mehr, mittlerweile gibt es ein drittes Wapiti-Shelter, aber auch nach wie vor in der Gegend.

2007, bei meinem Northbound, kam ich gegen Mittag an dem nun dritten Wapiti-Shelter vorbei, das friedlich auf einer Anhöhe im Bergwald steht, der unterhalb des Shelters von üppigen, weitläufigen Rhododendron-Dickichten bewachsen ist, die man auf dem AT durchwandert.
Als ich zum Shelter kam, traf ich auf ein Weißschwanzreh, das linkerhand davon stehend neu-

gierig zu mir herüberblickte. An diesem Tag bin ich nach einer Pause dort tatsächlich noch sehr weit in Richtung Pearisburg gewandert, wobei ich auch das nächste Shelter am Trail hinter mir ließ, damit ich garantiert ganz weit weg und möglichst nicht in der Nähe einer Fortstraße mein Camp aufschlug. Ich fand eine sichere Campstelle, von der ich am nächsten Morgen nach Pearisburg hinabstieg.

Ein Jahr später, bei meinem Southbound, dachte ich nicht mehr groß über die Sache nach, denn bei meinem 2007er Hike war ja alles gut gegangen, außerdem fühlte ich mich sicher auf dem Trail.
Als ich im August in Pearisburg wieder Zwischenstation machte, regnete es, sodass ich mich zwei Tage in der Stadt aufhielt. Als es am dritten Tag noch immer nicht aufklärte, beschloss ich dennoch, weiterzuwandern, denn ich wollte nicht noch einen Tag verbummeln. Auf dem Weg aus der Stadt zum Traileinstieg kommt man als Southbounder an einem Dairy Queen vorbei, wovon ich ja bereits berichtet habe und wie ich es fertigbrachte, mich dort bis mittags aufzuhalten (– viel Eis und der Regen, was sonst!).
Daher kam ich erst am Nachmittag zum nächsten Shelter am Trail, fand aber, es sei zu früh, das Ganze schon einen Tag zu nennen und überlegte kurz, dass ich dann aber im Wapiti-Shelter zu schlafen hätte, denn bei Regen irgendwo zwischen Sheltern zu campieren vermeidet man als Thru-hiker. Das ist ja gerade der Vorteil von Long Trail und AT, dass es diese Shelter gibt, sodass man anderntags im günstigen Fall sein Zelt nicht regennass mit sich herumschleppen muss.
Zwar fand ich die Idee mit dem Wapiti-Shelter nicht superprickelnd, aber angesichts des Regens und weil ja bisher nichts passiert ist, rief ich mich zur Räson, à la der Typ sei sicher noch im Gefängnis, der werde sich da schon nicht herumtreiben, ansonsten hätte es sicher eine Warnung über die ATC gegeben, das Shelter zu meiden undsoweiter, undsoweiter – wie man sich halt eine unangenehme Sache schönredet.
Also kam ich mit angeschalteter Stirnlampe am Kopf gegen viertel nach acht Uhr abends am Wapiti-Shelter an. Dort war ich wie bei den meisten Sheltern vorher auch alleine. Ich rollte meine Schlafmatte aus und legte den Schlafsack bereit.
Dann holte ich aus der nahegelegenen Quelle im Rhododendrondickicht unterhalb des Shelters Wasser und bereitete mir Ramennudeln auf meinem Esbitkocher zu. Als ich gegessen und meinen Topf wieder abgewaschen hatte, schlüpfte ich in meinen Schlafsack und schnappte mir noch das Shelterlog, um vor dem Einschlafen darin zu lesen.
Einer der neuesten Einträge darin forderte die Leser dazu auf, zu Einträgen vom 18. Juni zurückzublättern, darunter dem Eintrag eines Mannes, der unweit vom Shelter beim Fischen

gewesen war. Ich blätterte zurück und während ich las, welche Botschaft der Fischer extra für die Wandernden auf dem AT im Shelterlog hinterlassen hatte, war mir, als griffe eine eiskalte Hand fest um mein Herz.

Scott Johnston war Anfang Mai mit seinem Kumpel Sean unweit vom Shelter zum Fischen gekommen. Es gibt dort eine Art kleineren Waldsee oder Teich. Als Hiker sieht man ihn nicht, denn man wandert eine Zeitlang südlich des Wapiti-Shelters an einem Grashang entlang, einem Deichwall ähnlich, und dahinter befindet sich das Gewässer.
Beide Männer waren jedenfalls über das Wochenende zum Fischen an den See gekommen, wo sie ihr Camp aufschlugen. Während sie bereits dabei waren, ihren Fang fürs Abendessen zu grillen, tauchte ein seltsamer Einheimischer beim Camp auf, den sie freundlich zum Abendessen einluden. Man aß zusammen und unterhielt sich, bis der einheimische Besucher sagte, er müsse nun nachhause und daraufhin verschwand.
Die Fischer legten sich kurz darauf schlafen.

Mitten in der Nacht kam Randall Smith ins Camp zurück und schoss auf beide Männer. Einer davon konnte verletzt in die Dunkelheit fliehen und die Polizei alarmieren.
Inzwischen war Smith mit dem Auto von einem seiner Opfer in einen Nachbardistrikt Pearisburgs geflüchtet, wo er einer Straßenpatrouille auffiel, weil er mit überhöhter Geschwindigkeit unterwegs war. Der Mann lieferte sich anschließend mit der Patrouille eine wilde Verfolgungsjagd, bei der er sich mit dem Auto überschlug und so in Polizeigewahrsam genommen werden konnte.
Nichts ahnend, wen sie da zur örtlichen Polizeistation gebracht hatten, hörten die Beamten den Polizeifunk der Nachbardistrikte ab und erfuhren vom Fahndungsbefehl wegen der erneuten Tötungsversuche.
Was genau später auf jener Polizeistation passiert ist, wo der Wiederholungstäter in der Zelle einsaß, war dem Bericht des Fischers nicht zu entnehmen – Randall Smith, der 1981 zwei Hiker im Wapiti-Shelter ermordet hatte und nun in die Gegend zurückgekehrt war, um keine zwei Meilen vom ersten Tatort einen zweiten Doppelmord zu begehen, ist vier Tage später in Polizeigewahrsam verstorben.

Shelterlog-Einträge vom 18. Juni 2008, Wapiti-Shelter, Virginia:
" 6/18 To let all hikers know I'm back. My name is Scott Johnston and I was one of the shooting victims close to here last month (May 6th)
Randall Smith shot me and my friend 2 times each. We survived somehow. But that crazy S.O.B. died 3 days

later in his jail cell and I'm back on the trail. Good luck to all hikers.
Scott Johnston

Hike on!!!

6/18/08 I hiked up here to do a story about the recent shootings with Scott (see above).
He's a brave and wonderful man who didn't let what happened to he & his pal Sean keep him from loving the Trail.
Michael Williamson
The Washington Post"

["18.06. Zur Information für alle Hiker, ich bin wieder da. Mein Name ist Scott Johnston und ich war eines der Opfer bei der Schießerei letzten Monat (6. Mai) hier in der Nähe.
Randall Smith schoss auf mich und meinen Freund je zwei Mal. Wir haben irgendwie überlebt. Aber dieser bescheuerte Hurensohn ist drei Tage später in seiner Gefängniszelle gestorben und ich bin wieder zurück auf dem Trail. Viel Glück an alle Hiker.
Scott Johnston

Wandert weiter!!!

18.06.08 Ich bin hier hochgewandert, um mit Scott's Unterstützung (siehe oben) einen Artikel über die kürzliche Schießerei zu schreiben.
Er ist ein mutiger und wundervoller Mann, der nicht zuließ, dass ihn das, was ihm & seinem Kumpel Sean zustieß, davon abbrachte, den Trail weiterhin zu mögen.
Michael Williamson
The Washington Post"]

Ich saß wie erstarrt im Shelter, meine Haare standen überall zu Berge, und ich überlegte, ob ich nicht besser sofort mein Camp auflösen und weiterwandern sollte.
Da ich aber schwarz auf weiß gelesen habe, dass dieser Mann, über den ich mir noch 2007 und davor einen solchen Kopf gemacht hatte, tot war, also unmöglich zu einem dritten Anschlag zurückkehren konnte, riss ich mich zusammen, so gut das in dieser Situation möglich war. Der blanke Horror.
Ich war aber noch ziemlich aufgeregt, an Schlaf war zunächst einmal gar nicht zu denken, obwohl es mittlerweile schon auf halb elf zuging – eine Uhrzeit, in der man als Thruhiker normalerweise schon tief und fest schläft.
Schließlich bin ich trotz der Aufregung dann doch eingeschlafen.

Da fiel in der Nähe ein Schuss.

Sofort stand ich förmlich senkrecht im Schlafsack.
Das Adrenalin rauschte durch meinen Körper. Während ich hektisch im Dunkeln an meiner Uhr herumfummelte, um zu sehen, wie spät es war, und zwar mit Hilfe der uhreigenen Beleuchtung, denn meine Stirnlampe wollte ich auf gar keinen Fall anknipsen, horchte ich angestrengt nach draußen, ob es Geräusche in Shelternähe gab.
Der Schuss war irgendwo im Rhododendrondickicht unterhalb des Shelters gefallen.
– Wer trieb sich da nachts mit einer Schusswaffe herum?
Meine Uhr zeigte halb ein Uhr nachts an.
Ogott. Das könnte ein lange Nacht werden – am besten sofort aufbrechen und weg von hier, war mein erster Impuls. Gleichzeitig horchte ich weiter angestrengt in die pechschwarze Dunkelheit hinein, von woher es glücklicherweise keine weiteren verdächtigen Geräusche gab.
Ich war zwar todmüde, gleichzeitig aber hellwach, und der Schreck saß mir so in den Gliedern, dass ich vor Panik am liebsten kopflos in den stockfinsteren Wald davongestürzt wäre.
Ich überlegte, zusammenzupacken und meine Stirnlampe auf rotes Licht zu schalten, sodass man mich nicht sehen könne; ich würde allerdings in der Dunkelheit in diesem Rhododendrondickicht auch kaum etwas vom Trail erkennen können und am Ende noch irgendwo stürzen und mich verletzen.
Das nächste Shelter war meilenweit entfernt, es würde Stunden dauern, bis ich dort ankäme – was tun?
Während ich also regungslos im Dunkeln dasaß und meine Möglichkeiten auslotete, dabei weiterhin angestrengt in den Wald hineinhorchend, rief ich mich zum zweiten Mal mit großer Überwindung zur Räson, zu bleiben, wo ich war, denn Randall Smith konnte das nicht gewesen sein, das stand schon einmal fest.
Ein Trittbrettfahrer vielleicht, der mich gesehen hatte, als ich im Dunkeln mit angeknipster Stirnlampe im Shelter zugange gewesen war und sich einen üblen Mitternachts-Scherz erlaubte; ein Wilderer, der außerhalb der Jagdsaison hier oben herumstrich – ich war jedenfalls nicht fit genug, nach dem bisschen Schlaf, der ohnehin nichts Besonderes gewesen war, überstürzt aufzubrechen und in pechschwarzer Nacht auf dem Trail herumzustolpern.
Ich weiß nicht, wie lange ich noch wach war – irgendwann sank ich dann in eine Art aufgewühlten Schlaf zurück, der jedoch alles andere als erholsam war.
In der Früh weckten mich Sonnenstrahlen, die durch das dichte Laub des Thomas Jefferson Nationalforest drangen und sich im Regendunst des Waldes brachen.
Ich fühlte mich wie gerädert. Und war stinksauer.

Für mich stand fest, dass der nächtliche Schütze ein Witzbold zweifelhafter Güte gewesen war, der sich einen Spaß daraus machte, im Zuge der schrecklichen Ereignisse vom vergangenen Mai für weitere Aufregung zu sorgen.

Daher räumte ich mein Camp schnell zusammen und beschloss, bei den nachfolgenden Sheltern eine Warnung bezüglich der nächtlichen Vorgänge bei diesem Shelter im Log zu hinterlassen, damit anderen nicht dasselbe passieren würde.
Südlich des Wapiti-Shelters kam ich auf dem AT an Teilen der polizeilichen Absperrbänder vorbei, deren gelb-schwarz-gestreifte Plastikreste noch vereinzelt an Bäumen festgemacht waren und darauf hinwiesen, dass hier ein Tatort großräumig untersucht worden war.
Nach 13 Meilen in südlicher Richtung gelangt man auf dem AT zu einer Landstraße, auf der etwa eine Meile westlich Trent's Grocery store zu finden ist.
Diesen kleinen Laden steuerte ich an, weil ich dringend Cola brauchte, so übermüdet, wie ich war. Dort angekommen berichtete ich den sichtlich bestürzten Inhabern auch vom nächtlichen Vorfall, sodass sie andere Hiker bitte warnen möchten.
Von den Besitzern erfuhr ich schließlich die ganze Geschichte hinter dem Überfall auf die beiden Männer am Waldsee, außerdem, wie die Bürger Pearisburgs verzweifelt zu verhindern versuchten, dass Randall Smith auf freien Fuß gesetzt würde. Smith hatte die vergangenen Jahre bereits in Pearisburg zugebracht, allerdings mit einer elektronischen Fußfessel versehen, sodass er das Haus seiner Mutter nicht verlassen konnte. Als der Termin näher rückte, an dem ihm die Fußfessel abgenommen werden sollte, sammelten die Pearisburger Unterschriften für eine Petition, den Mann nicht freizusetzen, jedoch vergeblich.
Und kaum war er wieder frei, besorgt er sich erneut eine Schusswaffe und macht sich auf, die nächsten Leute umzubringen ...

Als ich noch im Juni durch Maine wanderte, erfuhr ich in Rangeley, dass erst im Januar kurz nach Neujahr eine Sportstudentin aus Atlanta auf dem AT in Georgia getötet worden war.
Sie wollte einen Section-hike von Amicalola Falls State Park bis Neels Gap über Einstiegs- und Appalachian Trail unternehmen.
Ihr Ziel, Neels Gap, hatte sie fast erreicht, als sie im Blood Mountain Shelter von einem Mann abgepasst wurde, der sich seit Tagen zwischen Neels Gap und Shelter herumtrieb. Der Mann kidnappte die junge Frau, verprügelte und vergewaltigte sie wiederholt über mehrere Tage, bis er sie schließlich erschlug. Diese junge Frau war trainiert und beherrschte gängige Selbstverteidigungstechniken – unvorstellbarerweise hat ihr das alles nichts genützt.
In Pawling, New York, traf ich auf ein junges Hikerpärchen aus Georgia, das in der Nähe von

Amicalola Falls State Park zuhause ist und diesen Fall detailliert aus den Medien mitbekommen hat. Das Unfassbare daran war, dass man das Leben der jungen Frau vermutlich hätte retten können, wenn die US-Behörden nicht einen solchen Tanz um Zuständigkeitsbereiche aufführten.

In Neels Gap befindet sich das Walasi-Yi-Hostel mit Outfittershop. Der damals langjährige Eigentümer Winton Porter bemerkte den fremden Mann von Anfang an. Allein schon vom gesamten Äußeren her war er nicht als hikertypisch zu erkennen, an einem Ort, an dem aber vor allem Appalachian Trail Hiker sich aufhalten. Ihm kam es merkwürdig vor, dass dieser Mann, noch dazu zu dieser Jahreszeit, so beständig am Traileinstieg herumlungerte, dann auf dem AT südlich verschwand, um einen Tag später oder so wieder in die Gap um den Trail zurückzukommen.

Es ist auf dem AT nicht gestattet, sich länger als maximal zwei Tage bei einem Shelter oder einer Campstelle aufzuhalten, denn das sind keine Dauercampstellen. Daher rief Porter bei einer der Polizeistationen nahe Neels Gap an, mit der Bitte, die Beamten möchten dort nach dem Rechten sehen, was es mit diesem seltsamen Dauerbesucher da auf sich habe.

Diese verwies ihn an die Polizei auf der anderen Seite der Gap, der Bereich sei nicht in ihrer Zuständigkeit.

Die Polizei auf der anderen Seite der Gap jedoch verwies auf den US Forest Service, denn das sei ja schließlich Forstgebiet, wofür die Polizei der US-Forstbehörden zuständig sei. Der US Forest Service wiederum verwies auf die Appalachian Trail Conservancy, denn der Korridor des AT falle in deren Zuständigkeit – und während sich die Behörden gegenseitig den Schwarzen Peter zuschoben, musste beim Blood Mountain Shelter eine junge Frau sterben.

Wenn es am Trail zu solchen schrecklichen Vorfällen kommt, sendet das massive Schockwellen von Georgia bis nach Maine. Kein Mensch möchte damit rechnen müssen, beim Wandern in den Bergen Opfer eines Verbrechens zu werden.

Solche Taten lösen Angst, tiefe Bestürzung und große Verunsicherung aus.

Denn im Grunde kann man sich auf dem Appalachian Trail schon recht sicher fühlen. Doch ein Vorfall reicht aus, allergrößte Panik zu erzeugen.

Allerdings, und das muss man dabei bedenken, sind das alles Vorfälle, bei denen Menschen anderen Menschen Entsetzliches antun; der Appalachian Trail selbst aber ist hier lediglich der Ort, so, wie es auch New York City, München oder in den Alpen sein könnte, wo eine solche Tat verübt wird.

Leider ist es soweit gekommen, dass entsprechend motivierte Personen ihren Aktionsradius auch auf Wandergebiete ausgedeht haben und man diese furchtbare Möglichkeit im Hinterkopf behalten muss, um sich zu schützen.

Ich habe lange überlegt, ob ich über dieses Thema überhaupt schreiben sollte, denn es soll weder Sensationslust damit bedient werden, noch ein abgedroschener Stereotyp nach dem Motto, war doch klar, dass sowas passiert, ist ja schließlich in Amerika.
Es geht mir hier um den persönlichen Sicherheitsaspekt, der auch bei einer solchen Wanderung ein Thema ist. Denn einige Punkte gibt es, an die man sich halten kann. Dazu soll mein Erlebnis deutlich illustrieren, was ich in puncto persönlicher Sicherheit falsch gemacht habe, sodass ich schließlich eine üble Nacht verbrachte, die sich hätte vermeiden lassen können.

Die Punkte, an die man sich halten sollte, sind nicht großartig kompliziert:
Nach Möglichkeit nicht alleine wandern. Wenn dem nun doch so ist, Fremden gegenüber keine Auskunft darüber geben, wenn man darauf angesprochen wird, sondern einfach lügen, man sei selbstverständlich in einer Gruppe unterwegs, wo die Einen gerade weitergelaufen sind und Andere gleich noch nachkommen. Jeder hat schließlich sein eigenes Tempo.
Hält man sich an Orten alleine auf, die auch von anderen, nichtwandernden Besuchern frequentiert werden, schließt man sich beim Weiterwandern einfach an eine andere Gruppe mehrerer Hiker an, die man hinterher am Trail wieder verlassen kann; zumindest hat man aber den Eindruck erweckt, nicht alleine unterwegs zu sein.
Keine Campstellen nutzen, die in der Nähe von Gaps mit Straßen oder Parkplätzen sind; auch nicht solche, die direkt vom Trail zu sehen sind, wenn man kein Shelter nutzt, sondern wild campt, was ja entlang großer Teile des AT erlaubt ist. Auch Campstellen in der Nähe von Forststraßen sind zu vermeiden, weil man einfach nicht weiß, wer sich da nachts mit dem Auto daherkommend herumtreibt.
Ist man in Städten oder kehrt bei Besuchszentren in Nationalparks ein, wo man mit Nicht-Hikern zusammentrifft, den Ball flach halten, sodass man keine Aufmerksamkeit erregt, die man nicht haben möchte.
Darunter fallen solche Dinge wie Kleidungsstil, aber auch persönliche Neigungen, die man besser ganz im Privaten lässt, womit gemeint ist, dass man eine Art Wowereit-Selbstbewusstsein eher nicht öffentlich zur Schau stellt. Man weiß einfach nicht, wen man provozieren könnte, und am Trail ist weder der Ort noch der Zeitpunkt für eine Hauruck-Behandlung Andersdenkender ins 21. Jahrhundert.

Hierbei geht es ganz sicher nicht darum, reaktionären Denkmustern Recht zu geben, sondern einfach nur um den Punkt, sich möglichst sicher in einer Umgebung bewegen zu können, die man deshalb nicht einschätzen kann, weil die Denkstrukturen fremder Leute leider nicht von außen erkennbar sind. Der Punkt ist, keine Angriffsfläche zu bieten, gerade, wenn man alleine oder zu zweit unterwegs ist.
Ganz wichtig ist das eigene Bauchgefühl: Wenn einem eine Situation oder eine Person, auf die man trifft, Unbehagen bereitet, ist das ein ernstes Zeichen, sich zu entfernen. Diesem Bauchgefühl sollte man unbedingt vertrauen und gar nicht erst damit anfangen, sein Gefühl logisch zu hinterfragen. Man spürt Unbehagen: das ist der ausschlaggebende Kompass, nach dem man sich richtet. Immer!

Und nun zur Nacht vom 28. auf den 29. August 2008 im Wapiti-Shelter:
Etwa acht Meilen südlich von Pearisburg gibt es auf dem AT ein Shelter. Danach sind es neun Meilen zum Wapiti-Shelter. Und nach diesem kommt erst in 14 Meilen das nächste, das allerdings nur eine Meile von einer Straße entfernt ist. In der Nähe des Wapiti-Shelters gibt es eine Forststraße im Bergwald.
Nachdem ich wegen des Regens zwischen den Sheltern nicht wild campen wollte, hätte ich zu meiner eigenen Sicherheit in dem ersten Shelter, das nach Pearisburg zu erreichen ist, bleiben sollen.
Der zweite Fehler, den ich an diesem Tag gemacht habe, war, gegen mein Bauchgefühl zu handeln. Ich hatte nach wie vor Bedenken, was das Wapiti-Shelter und seine Umgebung angeht, und durch meine Recherchen vor meinen beiden Thru-hikes wusste ich auch um die Forststraße, die da irgendwo in der Nähe ist.
Auch wenn ich natürlich nicht habe wissen können, was mich vom Shelterlog her erwarten würde. Doch das spielt keine Rolle, der Punkt ist, dass ich mich mit der Option, das Wapiti-Shelter anzusteuern, nicht wohlgefühlt habe und darauf hätte achten sollen, anstatt mir das Ganze schönzureden.
Und schon gerät man in Situationen, die nicht mehr angenehm sind.
Die Nacht war furchtbar, und das war das einzigste Mal, dass ich auf dem Trail eine solche Heidenangst hatte wie wohl noch nie zuvor in meinem Leben, doch das habe ich selbst mitverschuldet, weil ich mich auch noch wider besseren Wissens an zwei grundlegende Sicherheitsempfehlungen nicht gehalten habe.

Nun fragt man sich natürlich, wozu es diese Shelter gibt, die sich in der Nähe von Gaps und Straßen befinden, wenn man da nicht übernachten soll.

Nun, solche Shelter sind sehr praktisch als Zwischenstopp zum Mittagessen, wenn man alleine oder zu zweit unterwegs ist; auch Regengüsse lassen sich darin gut abwarten. Ist dagegen eine ganze Pfadfindergruppe unterwegs, oder eine Gruppe ab acht, zehn Hikern, sieht es auch mit einer Übernachtung an solchen Stellen ganz anders aus, denn da ist die Menge an Leuten ausschlaggebend, die für die nötige Sicherheit sorgt.
Abschließend folgt ein ganz typischer Logeintrag, den ich im Ensign Cowall Shelter in Maryland bei meinem Southbound vorfand.
Die *Tennessee Twins* schrieben am 21. Mai: *"In for a short lunch break. Oh look, it started raining. In for a long lunch break."*
[Wir sind hier für eine kurze Mittagspause. Oh da schau' her, es hat zu regnen begonnen. Wir bleiben für eine lange Mittagspause.]

-9-

Ein anderes Thema, das bei näherer Planung eines Backpacking-Trips auf dem AT zunächst ziemlich nervös macht, sind Wildtiere, die in den Bergwäldern der Appalachen leben.
Da ging es mir nicht anders.
Woher soll man auch Erfahrung mit wild lebenden Bären oder Klapperschlangen haben, wenn man aus Bayern kommt, wohin sich wenn überhaupt sowieso nur alle 200 Jahre ein sogenannter 'Schadbär' (gemäß Edmund Stoiber) verirrt, der dann sogleich mit bayerischer Gastfreundlichkeit abgeknallt wird?

Was auch immer man sich gemeinhin so ausmalt, wird im Laufe eines Thru-hikes ziemlich schnell revidiert: kein Wildtier dort draußen hat es üblicherweise darauf abgesehen, arglose Wanderer anzufallen. Es ist eher so, dass die Tiere sehr scheu sind und Kontakte mit Menschen meiden, sodass man froh sein kann, wenn man überhaupt welche sieht – einmal abgesehen von Streifenhörnchen (chipmunks), Tausendfüßlern aller Art oder Zecken und stechenden Insekten, die es sehr häufig gibt. Gerade die letzten beiden Gruppen haben tatsächlich empörend wenige Berührungsängste mit zweibeinigen Besuchern.

In den Appalachen leben Bären. Die gute Nachricht ist, es sind keine Grizzlies, die in den nördlichen Rocky Mountains der USA und Kanada für einige Nervosität unter Outdoorbegeisterten sorgen können. Die schlechte Nachricht ist, es sind trotzdem Bären, bei denen gewisse Verhaltensregeln beachtet werden müssen.

Schwarzbärenjunge in AT-Nähe – Shenandoah Nationalpark, Virginia (links); Holston Mountain, Tennessee (rechts)

Schwarzbären, wie alle anderen Bären auch, haben einen so guten Geruchssinn, dass er denjenigen von Hunden um ein Vielfaches übertrifft. Diesen Geruchssinn brauchen sie, um an ausreichend Nahrung zu kommen - im Frühling nach dem Winterschlaf; in den Sommer- und Herbstmonaten, um sich genügend Speck für den Winterschlaf anzufressen.
Im großen Ganzen machen Bären nicht sehr viel, als sich zur Brunftzeit zu paaren, und den Rest des Jahres bis zum Winter mit Futtersuche zu beschäftigen. Und da kommen nun die Hiker in den Bergen ins Spiel, die verführerisch duftende Dinge mit sich herumtragen, die die Bären natürlich meilenweit wittern.
Schwarzbären werden in allen Staaten durch die der AT hindurchführt, mit Ausnahme von New Jersey in der Jagdsaison gejagt, weshalb sie Menschen gegenüber üblicherweise sehr scheu sind. Wenn man aber abends im Camp sein Essen nicht bärensicher weghängt, gar so verantwortungslos ist, es im Shelter oder im Zelt aufzubewahren, muss man sich über adrenalinzündenden Besuch in der Nacht nicht wundern.
Im Great Smoky Mountains Nationalpark gab es an den Sheltern direkt vor der offenen Längsseite einen Metallgitter-Schiebezaun, sodass keine Bären in die Shelter kommen konnten. Leider haben Hiker das ausgenützt und ihren Proviant nicht mehr ordnungsgemäß wegge-

Schwarzbären in AT-Nähe – Shenandoah Nationalpark, Virginia (links und Mitte) und bei Humpback Mountain, Virginia (rechts)

hängt, sondern in die Shelter mitgenommen, da ja der Metallzaun sie schützte. Der Essensgeruch bei den Sheltern aber lockte die Bären an, sodass sich nachts öfters Bären um die Shelter herumtrieben.
Das Problem dabei ist, dass so die Bären darauf konditioniert wurden, immer wieder zu den Sheltern zu kommen, weil sie sich merkten, dass es dort nach Essbarem riecht. Und solche Bären können zu einem ernsten Problem werden, denn sie gewöhnen sich nicht nur daran, dass an einem bestimmten Ort Essen zu erwarten ist, sondern auch daran, dass dieses Essen in Verbindung mit Menschen zu setzen ist.
Ein derartig konditionierter Bär wird früher oder später zu einer Gefahr für Menschen und muss entweder getötet oder aus dem Park entfernt werden.

Nachdem die Parkverwaltung immer öfter Shelter über einen bestimmten Zeitraum hat schließen müssen, weil die dortige Schwarzbären-Aktivität gefährlich wurde, hat man um das Jahr 2007/2008 begonnen, alle sogenannten chain-link-fences von den Sheltern zu entfernen, damit die Hiker im eigenen Interesse endlich lernen, ihr Zeug ordentlich wegzuhängen.
Während meines ersten Thru-hikes 2007 habe ich noch in Sheltern mit diesen Zäunen übernachtet; als ich im September 2008 erneut durch die Smokies wanderte, waren bereits alle Schiebezäune weg.

Leider aber gibt es einen Aspekt bei Schwarzbären, der etwas beunruhigend ist. In Nordamerika kommen statistisch gesehen pro Jahr zwei Menschen durch einen Schwarzbärenangriff zu

Schwarzbären in AT-Nähe – Humpback Mountain, Virginia (links) und auf der Palmerton Superfundsite in Pennsylvania (vier Bilder rechts)

Tode. Diese Fälle ereignen sich zu 70 Prozent am helllichten Tag, häufig im August und vor allem in Alaska und Kanada. Sie konnten mit Schwarzbärenmännchen in Verbindung gebracht werden, die aus welchem Grund auch immer ihr Opfer als Beute betrachteten und es zunächst unbemerkt verfolgt haben, bis sie sich dann zeigten und vor dem Übergriff direkt auf ihr Opfer zuliefen.

Solche Bären zeigen ein *predatory behaviour*, ein Jagdverhalten mit vorherigem Nachstellen, und das ist die extrem gefährliche Ausnahme, bei der eben weder Totspielen, sich langsam entfernen oder den Bären durch lautes Schreien vertreiben hilft. Bärenexperten vermuten, dass diese Attacken in Alaska und Kanada mit den geographisch bedingt verkürzten Mastzeiten zusammenhängen, in denen die Bären schneller dafür sorgen müssen, sich die nötigen Fettreserven für den Winterschlaf anzufressen.

Aber das deckt natürlich noch nicht alles ab, was daran beteiligt gewesen sein könnte, dass ein Schwarzbär in einem Menschen fressbare Beute sieht. Auffällig ist, dass es nur männliche Bären waren, die in solche Attacken mit Verfolgen involviert sind; bisher gab es kein Bärenweibchen darunter und auch keines mit Jungtieren.

Bei einer Begegnung mit Bären ist es daher sehr wichtig, deren Verhalten richtig einzuschätzen. Üblicherweise sind sie scheu und verschwinden sofort. Es kommt vor, dass sie in gewissem Abstand stehenbleiben und zu einem hinüberblicken, sich aber dennoch trollen. Auch möglich ist, dass sie sich bedroht fühlen und entsprechend schnaubende, gurgelnde Geräusche machen – das ist der Augenblick, in dem man sich entweder langsam den Bären im Auge behaltend ent-

fernt, oder einen Höllenlärm macht mit Wanderstöcken, mit Schreien: egal was, Hauptsache man vertreibt das Tier. Kommt der Bär aber scheinbar ungerührt auf einen zu, oder lässt sich nicht abschütteln, dann sollte Bärenspray einsatzbereit in der Hand sein.
Was man unter allen Umständen unterlassen muss, ist wegrennen. Das hört sich völlig absurd an, denn jeder natürliche Impuls wäre in einer solchen Situation genau diese Handlung. Aber dann verhält man sich *wie Beute*, was einen Bären im predatory behaviour erstrecht aufstachelt, der einen sowieso in allerkürzester Zeit erwischt und niederreißt.
In dieser Situation heißt es einhellig: *Fight for what you are worth, with anything you can possibly grab: rocks, sticks, branches* – zu deutsch, an Ort und Stelle um sein Leben kämpfen, mit allem, was man nur in die Hände bekommen kann: Steine, Stöcke, Äste ...
Deshalb auch Bärenspray, falls das Tier zu nah kommt.
In Angriffssituationen, bei denen Bären eine Ladung davon abbekamen, ließen die Tiere von weiteren Attacken ab.
Bleibt nur zu hoffen, wenn man schon das Pech hat, in eine solch' üble Situation zu geraten, dass nicht noch der Wind ungünstig steht und man sich am Ende in der adrenalingeladenen Hektik versehentlich selbst mit diesem hochreizenden Zeug besprüht.

Schwarzbären waren aller Problematik zum Trotz, die man sich mit ihnen einbrocken kann, ganz oben auf meiner Wunschliste an Wildtieren, die ich gerne sehen wollte.
Und ich habe viele von ihnen in der freien Wildbahn gesehen – bei meinem Northbound etwa um die fünf Bären; bei meinem Southbound über dreißig. Wie schon angeschnitten, waren die Begegnungen meist sehr kurz, denn diese Bären sind sehr scheu und verschwinden sofort ins Unterholz, durch das sie davonstürzen.
Meist ist es so, dass man noch gar nicht bemerkt hat, dass ein Schwarzbär auf einem Baum hockt oder in einem Busch ist. Mit einem Mal aber hört man in der Nähe ein hastig kletterndes Geräusch einen Baumstamm hinunter, wobei man einen kurzen Blick auf eine schwarze Pelzkugel erhascht, die sich eiligst nach unten bewegt und auf halber Strecke schon ins dichte Unterholz des Waldes fallen lässt, um sich mit krachendem Bersten brechender Äste in Sekundenschnelle zu entfernen.
Deshalb habe ich meine Bärensichtungen scherzhaft in *butt-bears* und in *snout-bears* eingeteilt, wovon die 'Popo-Bären' anzahlsmäßig gegenüber der 'Schnauzen-Bären', die ich von vorne sehen konnte, überwogen.

Doch es gibt noch andere Erlebnisse mit Bären, die so außergewöhnlich ruhig und entspannt ablaufen, dass man hinterher gar nicht recht weiß, wie einem geschah.

Bei meinem Southbound war ich im Shenandoah Nationalpark in Virginia noch kurz nach acht Uhr abends zu meiner Campstelle unterwegs, als ich in ein Waldstück wanderte, bei dem es kein Unterholz gab.
Es dauerte nicht lange, da bemerkte ich, dass parallel mit etwa 30 Metern Abstand zu mir ein Schwarzbär im Wald lief. Er sah mich, ich ihn, jeder von uns blieb parallel auf seinem Trail, und so liefen wir bei gleich bleibendem Abstand ein gutes Stück nebeneinander her, wobei der Bär mit der Nase den Boden nach Essbarem absuchte und mich dabei gleichzeitig wachsam im Auge behielt. Mein Eindruck bei dieser Situation war, dass das Tier innerlich zwar angespannt war durch meine Gegenwart, aber da ich ihm nicht näherkam, kümmerte er sich weiter um seine Futtersuche, während wir uns gegenseitig beäugten.
Als mein Trail schließlich eine Linksbiegung machte, verschwand der Bär zur anderen Seite hinter einem Hügel in den Wald und unser gemeinsamer Spaziergang war beendet.
Für mich gab es keinen Grund, vor dem Tier Angst zu haben.
Das war ein herrliches Erlebnis!

Auch in Virginia, einige Meilen nördlich des James River, war ich wieder etwas spät noch auf dem AT unterwegs, weil ich anderntags einen Stadtbesuch in Glasgow eingeplant hatte, sodass ich auf dem Bergrücken noch möglichst nah zum Abstieg kommen wollte, damit ich am nächsten Morgen nicht mehr so weit zu laufen hatte.
Es war bereits nach neun Uhr abends und dunkel, weshalb ich mit meiner Stirnlampe wanderte. Ich kam gerade von einem offenen Grasstück wieder in den Bergwald hinein und ging zur ersten Wegkehre hinunter, als ich vor mir links neben dem Trail ein Rascheln im trockenen Laub hörte und stehenblieb, um zu sehen was das war – steht da ein Schwarzbär, der mich verdutzt ansah, oder das, was er wohl erkennen konnte, nämlich die Umrisse meines Kopfes mit dem Zyklopenauge der Stirnlampe in der Luft schwebend; beide sahen wir uns überrascht an, bis ich schließlich zu ihm sagte: *"Hey, bear!"*, an ihm vorbeiwanderte und in der Dunkelheit verschwand.
Vermutlich steht der Bär noch immer wie vom Donner gerührt dort und wundert sich, was das für ein seltsamer Waldbewohner gewesen war.
Auch diese Begegnung war wunderbar, ja, hatte sogar ein köstliches Element dabei.

Allerdings hätte das auch ganz schön ins Auge gehen können. Wäre das Grizzly Bear Country gewesen mit einem Grizzly Bären, dann wäre ich nicht einmal bis zu meinem flapsigen *'Hey, bear!'* gekommen, ganz zu schweigen davon, dieses Erlebnis überhaupt noch zum besten geben zu können – ich wäre platt gewesen, so schnell hätte ich gar nicht bis eins gezählt.

Überraschungsbegegnungen, noch dazu in nächster Nähe, mögen Bären gewöhnlich nicht - die Schwarzbären, die ich allesamt in den Appalachen angetroffen habe, waren offenbar sehr gutmütig. Zumindest die meisten davon.

Kurz nach Rockfish Gap nämlich, südlich vom Shenandoah Nationalpark, war ich gerade dabei, auf Humpback Mountain aufzusteigen, als ich hangaufwärts zur Rechten etwas schnauben hörte.
Ich blickte hoch, und da war ein Schwarzbär im Bergwald, etwa 50 Meter entfernt, der mich von oben anschnaubte, dabei auch röchelnd-gurgelnde Geräusche machte.
Die Photogelegenheit wollte ich mir zwar nicht entgehen lassen (Seite 86-87), daher knipste ich ihn ganz schnell, leider etwas unscharf, aber immerhin. Doch dann musste ich ihn energisch verjagen, denn die Geräusche, die der Bär da machte, sind typisch, wenn sie sich gerade nicht sicher sind, ob sie weglaufen oder angreifen sollen. Auch wenn Schwarzbären sich bedroht fühlen, machen sie diese Geräusche, bevor sie attackieren.
Ich konnte da unten ja nicht weg, da war nichts zum Ausweichen. Daher machte ich einen Heidenlärm mit meinen Teleskopstöcken und putzte den Bären instinktiv auf Bairisch zusammen: *"Kreizkruzitürkn, schaug' dass'd weidakimmst!"*, schrie ich, *"Schleich' di in dein'n Woid da eini, I muass da vorbei, zefix noamoi! Zupf' di, aba dalli!!"* – und in dieser Art weiter, so laut ich nur konnte, während ich weiterhin mit den Stöcken Krach machte, worauf der Bär sich tatsächlich trollte und hangaufwärts tiefer in den Wald verschwand.

Insgesamt fand ich Begegnungen mit Bären immer positiv aufregend und hatte auch keine Angst dabei. Ein blödes Gefühl gab mir nur der eine Kerl nach Rockfish Gap, denn ich hatte mich über Bären informiert, bevor ich das erste Mal auf den AT gekommen war und wusste daher, dass die Situation mit diesem Schwarzbären brenzlig werden könnte und was ich Bärenexperten zufolge zu tun hatte.
Ansonsten bin ich nach wie vor fasziniert von diesen schönen Tieren und so froh, dass ich so viele Begegnungen mit ihnen hatte, darunter auch mit Muttertieren und ihren Jungen in sicherer Entfernung.

Mit Klapperschlangen dagegen sah die Sache zunächst ganz anders aus. Von denen wollte ich erstmal eher keiner begegnen – zum einen habe ich es nicht gerade so mit Reptilien, und zum anderen sind das die eine Spezies von Giftschlangen, die in den Bergwäldern um den AT heimisch sind. Auf die andere Giftschlangenart, Copperheads, war ich auch nicht gerade wild.
Wie das nun einmal so ist, ändern sich Ansichten im Laufe des Trails dann doch, denn auch

Timber rattlers, Klapperschlangen in AT-Nähe – *rattler* in der 'dunklen Phase' am Jug End in Massachusetts (links) und *rattler* in der 'hellen Phase' in Pennsylvania

Klapperschlangen sind nicht darauf aus, sich arglosen Wanderern hinterrücks an die Waden zu heften.
Neben Timber rattler snakes, so der Name der Klapperschlangenart, die in den Appalachen um den Trail lebt, trifft man weitaus häufiger auf Black snakes (ungiftig), sehr elegante, lange und jettschwarze Tiere mit weißer Unterseite. Auch öfter anzutreffen sind die ebenfalls ungiftigen Garter snakes, die hübsch gezeichnet sind mit durchgängigen Streifen in schwarz und gelb.

Auf beiden Thru-hikes habe ich genau einmal eine Copperhead gesehen, und zwar spät abends in Virginia, als ich wieder mit Stirnlampe unterwegs zu meinem Camp war.
Die mit kupferbraunen Farbtönen gezeichnete Giftschlange lag quer über dem Trail – Gott sei Dank steckte sie mit dem richtigen Ende in einem Erdloch fest, in das sie wohl zwecks Mäusejagd halbwegs hineingekochen sein muss, denn ich erblickte das Reptil erst im letzten Augenblick, bevor ich im Begriff war, draufzutreten.
Von weitem, noch dazu im Lichtschein der Stirnlampe, sah diese Schlange aus wie ein armdicker, runder Holzbalken, der quer über dem Trail lag und sich seitlich im Umfang verjüngte.

Timber rattler snakes sind im Grunde faire Schlangen – sie melden sich schließlich deutlich hörbar, bevor sie zubeißen. Und das ist ja immerhin etwas. Meist ist es nämlich so, dass man die Schlange ihrer beige-ocker-hellbraunen Färbung wegen auf dem ähnlichfarbigen, trocke-

Garter snakes (oben) in Virginia und Connecticut; eine *Copperhead* in Virginia (Mitte) und eine *Black snake* in Tennessee (links unten). Die Schlangenart rechts unten ist mir unbekannt – die adrenalinzündende Überraschung in New Hampshire beruhte allerdings auf Gegenseitigkeit!

der 'Platzhirsch' – Klapperschlange von Gullion Mountain, Virginia

nen Laub am Waldboden nicht sieht (– es sei denn, sie sind in ihrer dunklen Färbung, dann heben sie sich deutlich vom Boden ab).
Aber man hört sie – und wie! Man muss dieses eindringlich schnarrend-rasselnde Geräusch noch nie zuvor in seinem Leben gehört haben, um dennoch zu wissen, wann man eine Klapperschlange in nächster Nähe hat.
Wenn es ertönt, bleibt man augenblicklich wie erstarrt stehen, und vor das geistige Auge springt zeitgleich in extrafetten Lettern auf Plakatgröße: KLAPPERSCHLANGE! – WO?-WO??-WO???, während man hektisch mit den Augen die nähere Umgebung nach dem Tier absucht. In der Zeit, in der man zum Zerreißen angespannt den gesamten Waldboden um sich herum zentimeterweise nach der Schlange abscannt und sich nicht zu rühren traut, hat sich das Reptil meist schon unbemerkt selbst entfernt.

Es gibt aber noch andere Begegnungen mit echten Schlangenpersönlichkeiten.
Bei meinem Southbound war ich gerade dabei, auf Gullion Mountain in Virginia zu steigen, als ich um eine Kurve bog und gut fünf Meter vor mir, mitten auf dem Trail, eine zusammengerollte Klapperschlange sich sonnte. Das Schwanzende mit der Rassel stak heraus, und die Schlange hatte mich sofort im Blickfeld, worauf sie zu rasseln begann.
Klapperschlangen kann man nicht mit Rufen verscheuchen. Und diese machte sowieso keine Anstalten, den Weg zu räumen – ein echter Platzhirsch also. Blöderweise ging es links vom Trail steil bergauf und rechts vom Trail steil bergab, sodass man nicht bequem um die Schlange herumgehen konnte. Außerdem wuchs auf beiden Seiten der Hänge wadenhohes, dichtes Grünzeugs, durch das nicht bis auf den Waldboden hindurchzusehen war.
Nun reicht bereits eine Klapperschlange, um abenteuerliche Phantasien im Kopf zu entfachen,

wonach es in dem undurchsichtigen Grünzeugs an den Hängen ganz bestimmt vor Millionen von weiteren Klapperschlangen nur so wimmelte, die lechzend darauf warteten, einem in die Beine zu beißen, wenn man einen Fuß da hineinsetzen würde ...
Ich tigerte nervös in sicherem Abstand vor dem aufgerollten Vieh auf und ab und überlegte, wie ich nur vorbeikäme, als ich am abseitigen Abhang rechts bemerkte, dass da offenbar schon jemand vor mir dasselbe Platzhirsch-Problem gehabt haben musste – ein weiträumiger Kreisbogen war in die Pflanzen hineingetreten worden, um an dem aufgerollten Reptil vorbeizumanövrieren.
Diesen Weg wählte ich ebenso, während ich die Schlange genau im Auge behielt, denn aufgerollt hat das Reptil die Möglichkeit, kraftvoll hochzuschnellen, wenn es sich bedroht fühlt.

In Pennsylvania, wo man gewöhnlich häufiger Klapperschlangen zu Gesicht bekommt, war ich nur noch knapp eine Meile von meinem Camp entfernt und daher superungeduldig, als sich etwa einen Meter vor mir eine Klapperschlange energisch rasselnd von links auf den Appalachian Trail schlängelte und nun aufreizend langsam vor mir auf dem Trail vorankroch, beständig rasselnd à la: ich weiß ganz genau, dass dich das jetzt total annervt, aber das ist mir sowas von scheißegal – jetzt bin ich da, und ich kann übrigens ganz schön zubeißen!, während ich mir hinter dem frechen Miststück in respektvollem Abstand fast auf die Füße trat, soviel Zeit ließ sie sich.
Nach einer gefühlten Ewigkeit endlich hatte die Schlange es auf die rechte Seite des Trails geschafft, von wo sie sich dann gnädigerweise bequemte, den Trail zu verlassen, um sich noch immer wild rasselnd in den Wald zu entfernen.

Neben Bären und Schlangen gibt es natürlich noch weitere Tierarten, die man während einer Wanderung auf dem Appalachian Trail antrifft.
Dazu gehört eine der Salamanderarten, der man von Georgia bis Maine begegnet, die Spotted Newts. Orange gefärbt mit kleinen Punkten am Rücken, sind das sehr schöne kleine Kerlchen, die sich deutlich sichtbar vom Boden abheben.

Auch sehr häufig zu sehen sind drei Arten von Tausendfüßlern, Centipedes, die ziemlich groß sind - etwa sehr dicke Regenwurmgröße - und in drei Farbvarianten vorkommen: dunkles Rotbraun, schwarz mit kleinen gelben Rändern, oder schwarz mit kleinen roten Rändern.
Man sieht sie zusammengerollt liegen, wenn sie nicht gerade irgendwo am Trail zugange sind. Vorsicht ist geboten, wenn man seine Bergstiefel beim Campen über Nacht im Freien lässt. Die sollte man besser in der Früh kopfüber ausklopfen, damit sich keine Tausendfüßler oder ande-

re Kleintiere drin befinden, wenn man wieder hineinschlüpfen möchte.

Eine weitere Tierart, die in den Appalachen heimisch ist und die wir so nicht kennen, sind Weißschwanzrehe: White-tailed Deer.
Das ist ungemein hübsch anzusehendes Rotwild. Wer noch den Walt Disney Klassiker *Bambi* in Erinnerung hat, der hat hier eine ziemlich gute Blaupause dafür, wie White-tailed Deer in der Fellzeichnung aussieht.
Üblicherweise sind Bucks (Hirsche), Does (Ricken) und Fawns (Kitze) auch eher scheu, doch im Shenandoah Nationalpark bekommt man seine große Chance, diese wirklich sehr hübschen Tiere aus der Nähe zu sehen.
Im Park darf nicht gejagt werden, sodass das dort in freier Wildbahn lebende Rotwild in ziemlicher Nähe zum Trail unterwegs ist, wo es manchmal sogar nur zwei bis drei Meter entfernt grast, wenn man vorbeiläuft.
Möchte man Photos machen, sollte man dies im Gehen tun, denn bleibt man stehen, werden die Tiere doch etwas nervös und gehen weg, sodass man das zwar ebenso hübsche Hinterteil knipsen kann, das diesen Rehen ihren Namen gegeben hat, aber das war ja nicht der Plan.

Spotted Newts am Trail (oben und Mitte) und aufgerollter *Centipede* (unten)

White-tailed Deer, alle Shenandoah Nationalpark Virginia und ein *Porcupine* auf dem AT beim Poplar Ridge Shelter, Maine

Kommt man auf dem AT in den Norden, wird man bei Sheltern häufiger bemerken, dass das Holz am Rand der Plattform vorne angeknabbert ist. Dort sitzt man gewöhnlich als Hiker, und zwar mit seiner verschwitzten Hose, oder die verschwitzte Haut der Beine hinterlässt einen feinen Salzfilm auf dem Holz.
Da sind keine Biber unterwegs gewesen, die es zwar auch in den Appalachen gibt, sondern Porcupines: Stachelschweine. Diese lieben die salzigen Frontseiten der Shelterplattformen.
Schwarz am ganzen Körper, mit weißen, langen Stacheln sieht man Porcupines nicht sehr häufig; wenn man sie aber antrifft, ist Abstand halten angebracht. Sie sind zwar nicht aggressiv, aber können mit ihrem Schwanz, der ebenso Stacheln hat, blitzschnell zuhauen, wenn sie sich bedroht fühlen, sodass man ihre Stacheln in die Beine bekommt, was nicht nur beim Entfernen etwas fieselig wird, denn diese Stacheln sind nicht gerade sauber und innen hohl mit Unterdruck. Versucht man, diese Stacheln selbst zu entfernen, passiert es, dass sie brechen, womit der Unterdruck im Hohlraum entweicht, was die Stacheln noch weiter in die Wunde treibt.
Porcupines bewegen sich eher gemütlich und scheinen nicht so gut zu sehen, weshalb es zu überraschenden Zusammentreffen mit ihnen kommen kann.
So ist es mir in Maine passiert, dass ich in der Nähe eines Shelters auf dem Trail ein Porcupine am helllichten Tag in meine Richtung watscheln sah. Nun sind die Tiere in etwa so groß wie ein Cocker Spaniel und ziemlich umfangreich, ihrer langen Stacheln wegen. Zunächst dachte

ich noch, dass das Tier mich doch sehen müsste, da wir ja direkt frontal aufeinander zugingen. Dem war aber nicht so, deshalb klackerte ich mit meinen Teleskopstöcken etwas, damit das Tier mich wahrnehmen konnte, und so blieb es erst stehen, hob den Kopf und blinzelte mit seinen kleinen Augen, schnupperte, und verschwand daraufhin mit etwas mehr Tempo als vorher ins Unterholz neben dem Trail. Das sind prinzipiell keine gefährlichen Tiere, aber sie sind wehrhaft, wenn sie sich bedroht fühlen.

In Maine, das sehr gewässerreich ist, haben einige Hiker näheren Kontakt mit Tieren gemacht, die man wirklich nicht gerne auf der Pelle hat – die Rede ist von Leeches: Blutegeln. Also, da bin ich wirklich froh, dass dieser Kelch an mir vorübergegangen ist, denn in Maine gibt es viele Flüsse zu durchqueren, in denen mit diesen Blutsaugern offenbar auch zu rechnen ist. Hier ist bei mir die Grenze mit Wildtieren deutlich erreicht, wo ich sogar die Mücken und Blackflies in den Wäldern Maines vorziehe.

Hübsch anzusehen in ihrer schwarz-weißen Fellfärbung sind Skunks, Stinktiere. Dennoch ist ihrer Duftdrüse wegen großer Abstand geboten. Mit ihnen rechnen muss man in der Dämmerung, wo sie draußen herumlaufen können, und zwar auch bei Sheltern.
Man denkt einfach nicht so daran, wenn man zum Privy geht oder noch sein Bärenseil werfen muss, dass ein Skunk in der Nähe sein könnte. Wenn man aber bei einer unverhofften Begegnung angesprüht wird, braucht man nicht einmal mehr ins Shelter zurückkommen, denn die Leute dort hebt es schon aus den Schlafsäcken, wenn man gerade einmal in Sichtweite ist.
Glücklicherweise habe ich nur ein plötzliches Zusammentreffen mit diesen Tieren gehabt, und zwar auf meinem ersten Thru-hike, beim Blood Mountain Shelter.
Ich wollte gerade zu den Felsklippen hochsteigen, die dort einen herrlichen Ausblick über die Appalachen Georgias bieten. Es war Sonnenuntergang, und gerade, als ich im Begriff war, über zwei Felsen zu steigen, die zwischendrin einen kleinen Spalt hatten, sah ich einen halben Meter unter meinen Füßen das Stinktier genau dazwischen.
So schnell habe ich in meinem Leben noch nie einen Haken geschlagen und bin in Höchstgeschwindigkeit zum Shelter zurückgeflitzt – mit vollledernen, schweren Bergstiefeln an den Füßen und nach einem anstrengenden Tag auf dem Trail. Man glaubt gar nicht, was man plötzlich an Energiereserven mobilisieren kann!
Am Shelter erfuhr ich, dass dies wohl das *resident skunk* sein müsse, das dort beim Shelter seinen Bau habe und folglich auch immer in der Gegend sei – und pfeilgrad: im Trailguide stand sogar bei den Anmerkungen zum Blood Mountain Shelter, dass dort ein Stinktier lebt!
In Kanada war ich einmal mit meinem Schwager im Auto unterwegs, als wir auf der Straße

über ein bereits plattgefahrenes Stinktier gefahren sind, dessen Überreste sich in der Mitte der Fahrspur befanden. Allein die Sekunde, in der wir über den Roadkill fuhren, erfüllte das Auto mit einer eindringlich-abstoßenden Duftnote, dass wir die Fenster herunterlassen mussten. Nun war das nur ein Bruchteil dessen, was einen erwartet, wenn man eine frische, volle Ladung *Eau de Skunk* abbekommt – zumindest vor Bären dürfte man da wohl sicher sein; möglicherweise sogar vor Grizzlies. Aber man kommt auch in kein Hostel mehr oder sonstwo hinein, wenn man eine derartige Duftwolke in die Zivilisation hineinschleppt!

Mehrere Wochen nach dem Start in Georgia war ich zur Mittagszeit auf einem Trailstück in Tennessee unterwegs, die Sonne schien schon sehr warm in den winterkahlen Wald hinein, als auf Kopfhöhe ein kleines, irisierend blaues Oval an mir vorbeisurrte. – Ein Kolibri..? Hier in den Appalachen?

Ich fürchtete schon, einen totalen Sonnenstich bekommen zu haben und mir Dinge einzubilden. Das Surren dieses kleinen Etwas hatte wie ein Mini-Propeller geklungen, und zwar ziemlich laut für die geringe Größe.

Wer Vögel mag, darf sich freuen – es gibt eine reiche, andersartige Vogelwelt in den Appalachen. Und es gibt dort tatsächlich Kolibris: Humming birds. So, wie bei uns gewöhnlich in den Gärten Futterhäuschen für Vögel stehen, haben Amerikaner kleine Plastikbehälter mit Löchern an den Seiten in ihren Front- oder Backyards hängen. In diesen Plastikbehältern ist eine Nähr-Flüssigkeit, die die Kolibris im Flug mit ihren langen Schnäbeln aus den Löchern entnehmen.

Humming birds in Glencliff, New Hampshire

In den Bergen Pennsylvanias, nahe der Ortschaft Port Clinton befindet sich eine wichtige Flugschneise für Wanderfalken,wo sich nicht nur Hobby-Ornithologen sondern auch Wildbiologen zu laufenden Forschungszwecken einfinden.

Bei Fontana Lake am Fuße der Smokies habe ich auf einem Baum sitzend einen Cardinal gesehen – das sind bildschöne Vögel mit feuerrotem Gefieder, einem Schopf am Kopf und einigen schwarzen Stellen darin. Auch die entzückenden Blue Jays sind hübsch gezeichnet in vorwiegend Mittelblau mit kleinen Stellen in Schwarz, Weiß und Silbergrau.

Grouse in Maine und mir unbekannte Vogelart in der Carter-Moriah Range der White Mountains, New Hampshire

Was einem mit als erstes auffällt, sobald man im Frühjahr in Georgia auf dem AT unterwegs ist, sind die Vogelstimmen, die ganz anders klingen als bei uns. Andere Melodien und Rufe, die aufhorchen lassen, weil man an die heimischen Vogelstimmen gewöhnt ist, mit denen man bisher gelebt hat.
Neben den Singvögeln bekommt man im Frühling auch sehr bald die dumpf dröhnenden Balzgeräusche der Auerhähne (Grouse) in der Dämmerung mit, die sich anhören, als würden mehrere Motoren gleichzeitig angelassen – zunächst langsam stotternd, um dann immer mehr an Fahrt zu gewinnen. Ein echter Trupp gefiederter Harley Davidson Biker in den Wäldern der Appalachen auf Balz bringt ganze Berghänge zum Dröhnen!

Auch den Ruf der Loons, Wasservögeln, die im seenreichen Maine, aber auch in Kanada heimisch sind, wird man als Northbounder zweifellos hören, während man abends kurz nach der Dämmerung im Schlafsack liegt. Ihr ergreifend wehmütiger Ton erklingt als einzelner Ruf weit über die Seen in die nachtstille Wildnis hinein, was ein erhebender Augenblick ist, während man diesen einsamen Rufen lauscht.

Mitunter für spannende Momente an steilen Abstiegen vor allem in Maine können die dort lebenden Elche sorgen. Allein ihre Hinterlassenschaften zeigen deutlich, dass auch Wildtiere den AT zwecks besserer Fortbewegung nutzen – und im Fall von Elchen nicht zu knapp.

Man darf sich darauf einstellen, dass man meist an den steilsten Stellen eines Abstiegs ausgerechnet auf der einzig möglichen Stelle, an der man seinen Fuß sicher platzieren könnte, Elchdung vorfindet: und zwar einen großen Haufen kleiner, ovalförmiger Mistkugeln, die wie kleine hellbraune Eier aussehen.
Ich kann gar nicht sagen, wie oft ich, einen Fuß noch in der Luft schwebend, ungläubig auf diese Kötbullar-Teile auf dem Trail geschaut habe und mich ernsthaft fragte, wie zum Teufel ein Elch diesen steilen Trailabschnitt herauf- oder heruntergekommen war, und sich dann auch noch genau an der Stelle hat erleichtern müssen. Möglicherweise war ja das sogar der Auslöser für die Hinterlassenschaft mitten am Trail!
Elche sind in den Bergwäldern der Appalachen vor allem von Maine bis Vermont anzutreffen. Sie sind sehr scheu und stürzen geradezu kopflos durch dichtestes Unterholz krachend davon, wenn sie Menschen begegnen. So wird man häufig erleben, dass man einen kurzen Blick auf ein hochbeiniges, großes Tier erhascht, das sich eiligst in die dichten Wälder entfernt.
Als Southbounder kommt man in Maine in einen üppig belaubten Frühlingswald hinein, sodass Elche zwar oft zu hören sind, wie sie in langbeinigem Schritt vom Klang her nicht unähnlich demjenigen von Pferden durchs dichte Grün streifen, aber man sieht sie nicht.

Regelrechte Dauerkonzerte erlebt man mit den Grillen und Zikaden, die besonders in den Sommermonaten von Virginia bis hinunter nach Pennsylvania für Dauerbeschallung am Trail sorgen. Diese Insekten sind so laut, dass sich neben ihnen sogar surrende Stromabnehmer als ein Hort der Stille ausmachen würden.
Zu diesen Zikaden und Grillen gesellen sich ebenso in Teilen Virginias, Marylands und Pennsylvanias Gipsy-Motten, die als Raupen ganze Laubwälder kahlfressen. Man hört die Insekten selbst nicht und man sieht sie nicht, wie sie oben in den hohen Bäumen das Blattwerk vertilgen; was man aber hört, ist ein beständiges, leichtes Prasseln, so, als nieselte es, was an bewölkten Tagen sofort den Blick gen Himmel lenkt, ob es etwa anfängt zu regnen.
Das sind zwar kein Regentropfen, die beständig von den Bäumen auf das trockene Laub am Waldboden herunterrieseln – diese Motten fressen und erleichtern sich gleichzeitig!
Während man also durch Waldstücke hindurchläuft, in denen Gipsy-Motten zugange sind, wird man die ganze Zeit von ihnen angekackt, und zwar mit braunen, kleinen Kügelchen, die schon fast Hasenköttelgröße erreichen!
Es versteht sich von selbst, dass man bei Sheltern in diesen Waldstücken darauf achten muss, unterhalb des Shelterdachs zu bleiben, um sein Essen zu kochen, und nicht etwa unter freiem Himmel, sonst hat man diese Geschosse auch noch im Essen.
Einmal habe ich in Pennsylvania unter freiem Himmel Cowboycamping gemacht, also nur mit

Luna Moth (oben links) und zahlreiche Schmetterlinge entlang des AT, die übrigens sehr groß werden können. *Yellow Swallowtail* (links unten)

Schlafmatte auf der Zeltunterlage und meinem Schlafsack. Dabei habe ich vollkommen vergessen, dass ich die ganze Zeit über auf einem Trailabschnitt unterwegs gewesen war, in dem Gipsy-Motten aktiv waren, denn auch an dieses Dauerprasseln gewöhnt man sich mit der Zeit und blendet das Geräusch aus.
Am nächsten Tag wache ich auf und habe auf dem Schlafsack, in meinen Haaren und um meinen Schlafsack herum lauter kleine, braune Krümel liegen, denn auch nachts gehen diese Fress- und Kackwütigen ungemindert ihrer Tätigkeit hoch oben in den Bäumen nach.
Nach dem Aufstehen hieß es daher erstmal Haare, Schlafsack, Schuhe und alles, was Falten warf, gründlich auszuschütteln!

Kurz nach Damascus, Virginia, steht im Mount Rogers Gebiet eine Etappe am Appalachian Trail durch die wildwürzigen Grayson Highlands an. 360 Grad Panoramaaussicht sowohl auf die Berge in Tennessee, die man gerade hinter sich gebracht hat, als auch auf voranliegende Gebirgszüge Virginias sind ein Aspekt dieser Wanderung durch eine hochgelegene, mit Gras, Büschen und vereinzelten Bäumen bewachsenen, schönen Landschaft. Was einen dort noch erwartet, sind frei lebende Ponies.
Insgesamt sind es zwei Herden, die auf natürliche Art dafür sorgen, dass der Landschaftscharakter der offenen Highlands erhalten bleibt. Diese Ponies leben im großen Ganzen wild, werden aber einmal pro Jahr zusammengetrieben, um insbesondere zu viele Junghengste aus den Herden herauszunehmen, aber auch Stuten, damit die Herden nicht zu groß werden und eine Überweidung des Gebiets zur Folge haben. Außerdem gibt es zu diesem Zeitpunkt einen jährlichen Tierarzt-Checkup der Ponies.
Wenn man durch die Highlands wandert, fallen einem recht schnell immer wieder massive Haufen von Pferdeäpfeln auf, die so groß sind, dass sie unmöglich von einem Tier alleine stammen können.
Die erheiternde Frage unter vielen Hikern ist daher: Wie stellen die das an? Kommen diese Ponies zu einem gemeinsamen Pferdeäpfel-Moment zusammen, bei dem sie mit den Hinterteilen eine Kreisformation bilden, um dann bei drei alle loszulegen? Entstehen diese Haufen, weil die Ponies ähnlich den Hunden durch fremde Hinterlassenschaften dazu ermuntert werden, hier sprichwörtlich ihren Senf draufzugeben?
Die Frage bleibt ungeklärt, denn auch beim zweiten Durchwandern der Grayson Highlands habe ich die Ponies nicht inflagranti dabei erwischen können, wie sie diese Haufen produzieren.
Was ich aber miterlebt habe, war die Geburt eines Fohlens in den frühen Morgenstunden nicht unweit vom Trail im offenen Gelände, und wie die Mutterstute ihr Neugeborenes gründlich

... mehr Schmetterlinge in Tennessee und Pennsylvania; rechts oben und links: *Yellow Swallowtail*

Chipmunks, Streifenhörnchen (unten) in New Hampshire und Maine

Ponystute mit Fohlen
in den Grayson Highlands,
Virginia

ableckte, das wenig später schon seine ersten wackeligen Schritte unternahm und schließlich hungrig die Milchzitze bei seiner Mutter fand. Die Mutterstute war bei der Geburt nicht alleine, es standen einige andere Ponies der Herde in ihrer Nähe.
In diesen Highlands kann man natürlich auch übernachten, doch zum üblichen Bearbagging muss man nun auch seinen Rucksack weghängen, denn das Salz in Hüft- und Schultergurten animiert die Ponies zum Knabbern, was schon manch' einem Hiker eine bestürzende Entdeckung in der Früh beschert hat.

Abschließend sollen noch einige lustige Vorkommnisse mit Tieren am Trail berichtet werden, denn die gibt's einmalig dazu, wenn man zum richtigen Zeitpunkt unversehens Teilnehmer einer solchen Naturszene wird:
Im April 2007, als ich durch die Smokies lief, war der Trail beidseitig mit unzähligen weißen Springbeauties und anderen Frühlingsblumen gesäumt, um die es ein lebhaftes Gesumme und Gebrumme von Hummeln und Bienen gab.
Direkt an der Trailseite war gerade eine besonders emsige Hummel damit beschäftigt, Blütenstaub zu sammeln, sodass sie mich erst zu spät bemerkte und daher mit solcher Hast aus dem Blütenkelch herauswollte, dass sie statt hochzufliegen rücklings auf dem Trail landete, wo sie sogleich in größter Eile auf die kleinen Füßchen herumwirbelte, um dann mit einem Affenzahn davonzustieben. Ich war stehengeblieben und hatte die aufgeregte Szene vor meinen Füßen in aller Ruhe beobachtet. Herrlich!

In Maine habe ich offenbar ein Streifenhörnchen überrascht, als ich nichtsahnend auf dem Trail daherkam, denn es schoss in Höchstgeschwindigkeit davon, leider aber volle Kanne gegen einen Baumstamm, sodass es ein gut hörbares Plock-Geräusch gab, als der kleine Nager dagegenprallte. Kurz etwas benommen, rappelte sich das Tier sofort wieder auf und schoss nun in die andere Richtung davon – diesmal, ohne dabei einen Tunnel in einen Baumstamm treiben zu wollen!

Apropos Streifenhörnchen: Diese flinken, kleinen Kerlchen können einen von den Bäumen herab ganz schön lautstark zusammenputzen! In einem Camp in Maine passierte mir unversehens, dass so ein gestreifter Giftzwerg vom Baum herunter minutenlang auf mich einzeterte, wobei ich gar nicht wusste, was der Grund für diese lärmende Standpauke am Abend gewesen war. Vermutlich bin ich einem geheimen Nussdepot des Hörnchens zu nahe gekommen, das es zu verteidigen galt, denn es war bereits September.

White-tailed deer in upstate New York

Landschildkröten, *Boxturtles*, in Trailnähe,
die rotschwarze (*l*) oder gelbschwarze (*r*) Augen haben –
zwischen Pochuck und Wawayanda Mountain
in New Jersey gibt es auch Wasserschidkröten;

Frösche aller Arten – besonders das Gebiet zwischen
Manassas Gap und Rod Hollow Shelter in Nordvirginia
hat große, vokalfreudige Froschpopulationen; der hübsche
Kerl rechts war allerdings in upstate New York;

Kröten, *Toads*, sieht man häufig in AT-Nähe; die Kröte
unten links auf Iron Mountain in Tennessee war rostrot
gefärbt, was interessant ist, denn dieser Bergrücken dürfte
seines Namens nach eisenhaltiges Gestein haben;
die schön gezeichnete Kröte rechts unten
saß in der Hundred Mile Wilderness, Maine

Mount Katahdin in der Ferne (Tafelbergmassiv rechts), vom Gipfel von White Cap Mountain aus gesehen; Hundred Mile Wilderness, Maine
September 2007

September 2007, Hundred Mile Wilderness in Maine

Das Abendrot lag bereits in orangerot- bis roséfarbenen Schleiern über den Bergen, als ich den Gipfel von White Cap Mountain erreichte, von wo aus ich ihn das allererste Mal sah: Kathadin.

Mount Katahdin –

Der Berg, der noch in Georgia so unfassbar weit entfernt schien, als befände er sich am Rande unseres Sonnensystems. Ungreifbar, unvorstellbar, einfach so weit weg, dass es gar nicht in den Kopf hineinging, sich auch nur vorzustellen zu versuchen, wie weit eine Distanz von knapp 3.500 Kilometern auszusehen hätte.
Sicher, es gab ihn ganz offenbar – auf meinem 2007er Trailguide von Dan 'Wingfoot' Bruce war er sogar als Coverphotographie abgebildet; aber das Unmögliche daneben, sich allein diese Distanz auszumalen, war, sich erfolgreich vorzustellen, eine solche Distanz auch zu Fuß zurückzulegen, zu gehen.
Dieser unfassbar weit entfernte Berg mutierte im Verlauf meines Thru-hikes zu einem Gralsberg, einer Art elusivem Zauberberg, der wohl irgendwo existierte – aber noch nicht in Georgia, auch nicht in North Carolina, ja, noch nicht einmal in Virginia oder in Vermont.

Die vorstellbaren Etappen waren andere gewesen: Springer Mountain bis Neels Gap, knapp 32 Meilen – das konnte man gedanklich erfassen; dann Neels Gap bis Hiawassee, noch einmal um die 38 Meilen – auch das war noch möglich; dann Hiawassee zur Grenze nach North Carolina in nur weiteren neun Meilen – Hurra! *First state down!*
In North Carolina war das nächstgrößere Ziel das Nantahala Outdoor Center, nochmal um die 58 Meilen weiter nördlich, und danach die Smoky Mountains, auf weiteren 29 Meilen den Trail entlang.
Und so ging es Etappe für Etappe weiter durch North Carolina, Tennessee, Virginia und auch danach Bundesstaat für Bundesstaat weiter bis in den Norden hinein.

Inzwischen vergingen Tage, Wochen; ja, ganze Monate – der Frühling wich dem Frühsommer, dem der Sommer folgte.
Die Vegetation der südlichen Appalachen änderte sich erst fast unmerklich aber doch langsam immer mehr, bis sie in den Neu-England-Staaten anders aussah: keine mächtigen, nahezu endlosen Rhododendron-Dickichte mehr, die bis in die Delaware Water Gap an der Grenze zu New Jersey wie selbstverständlich fast die ganze Zeit Teil der Bergwälder gewesen waren, während Mountainlaurel noch immer vereinzelt auftauchte, kurzzeitig in Pennsylvania und den Mittleren-Atlantik-Staaten bis Massachusetts fast völlig aus dem gewohnten Bild verschwand, um dann mit einem Mal wieder den Trail wie ein alter Bekannter zu säumen.
Kaum merklich kamen erste Herbstboten in den ausklingenden Hochsommer mit kühleren Temperaturen in der Nacht und früh morgends; die Tage wurden wieder kürzer bei Sonnenuntergängen ab sechs Uhr abends.
Und selbst, als ich nach etwas mehr als 16 Meilen nördlich von Gorham, New Hampshire, schließlich Maine als letzten Trailstaat erreichte, wo es nur noch 282 Meilen zum Ziel waren, konnte ich mir Kathadin noch nicht fassbar vorstellen.

Da stand ich also im Abendrot bei einer leichten Brise auf White Cap Mountain und starrte fassungslos auf diesen Berg, der mit einem Mal zu sehen war – entfernt zwar, und wie durch zarte Schleier hindurch in der Dämmerung, doch tatsächlich da.
– Mächtig, massiv und groß.
Was für ein erhebender, aufwühlender Moment!

Nur noch knapp 72 Meilen von diesem großartigen Endpunkt entfernt, dessen Gipfel ich am 7. September 2007 zum ersten Mal erreicht haben sollte, hatte ich ganze fünf Monate in den Bergketten der Appalachen zugebracht, um vom Süden in Georgia bis in den Norden nach Maine zu laufen.
Mittlerweile trug ich mein drittes Paar Bergstiefel, außerdem einen dritten Wanderrock, der zwischenzeitlich wieder so weit geworden war, dass ich nachts und während der Morgenkühle bequem meinen Fleeceanzug darunter tragen konnte, ohne Knopf oder Reißverschluss für mehr Komfort öffnen zu müssen.
Meine Nackenpartie und die Schultern hatten sich in Virginia schließlich an den Rucksack gewöhnt und aufgehört, sich mit stechenden Schmerzen unangenehm bemerkbar zu machen. Der Rucksack war langsam zu einem Teil von mir geworden.
Und nicht nur das: Dort war alles drin, was ich hier draußen benötigte. Dieser Rucksack enthielt die 'basics', um die sich neben dem Wandern das tägliche Trailleben aufbaute – Essen,

Unterkunft und Kleidung. Mit einigen zusätzlichen Luxusartikeln war das im Grunde zu meinem beweglichen Zuhause geworden, das ich überallhin mitnahm, abends aufbaute und anderntags wieder abbrach, um weiterzuziehen.
Das reichte aus, um am Trail in den Bergen gut auszukommen.
Meiner Körperfitness nach hätte ich nun unentwegt so weiterlaufen können; auch das war zum Normalsten der Welt für mich geworden.
Einer meiner Trekkingstöcke hat es nicht bis hinter Sunfish Pond im Süden New Jerseys geschafft, wo er mir bei einem Sturz so umknickte, dass er mittig durchbrach. Auch dieser Stock konnte ersetzt werden. Unzählige Male übrigens war ich auf dem Trail gestolpert oder hingefallen, und natürlich hatte ich noch einen spektakulären Wutanfall gehabt (Backofenhitze und kein Wasser weit und breit) – diesmal glücklicherweise ohne Zeugen.
In Pennsylvania hatte ich im Cumberland-Valley in der lauen Dämmerung Glühwürmchen gesehen, während es an riesigen Maisfeldern entlang durch die weitläufige Talebene zum nächsten Bergstock ging, begleitet von hunderten kleiner Lichtpunkte, die das Wegstück in einen magisch-entrückten Sommernachtstraum verwandelten ...

Ein letztes Mal noch genoss ich den Anblick dieses phantastischen Berges in der Ferne, dann riss ich mich davon los und stieg ab, um mein Camp am Fuße von White Cap Mountain zu erreichen, bevor es ganz dunkel würde.

KATAHDIN
APPALACHIAN TRAIL
APPALACHIAN
2000-MILER

– You did it *again*..??

Als ich am 1. April 2007 auf dem Approach Trail von Amicalola Falls State Park zu Springer Mountain hinaufwanderte, um am Tag darauf als 545. Northbounder der Saison immer noch positiv aufgeregt meinen Thru-hike am Appalachian National Scenic Trail zu beginnen, verstand es sich von selbst, dass dies ein einmaliges Unternehmen werden würde.
Nicht einmal den Bruchteil eines Gedankens hätte ich damals darauf verwendet, über einen zweiten Thru-hike nachzudenken.

Dann kam am 20. Juni 2007 Harpers Ferry, und mit Harpers Ferry die Appalachian Trail Conservancy, die ja dort ihren Sitz hat. Man kommt durch diese hübsche, historische Stadt auf seinem Thru-hike nicht nur durch, üblicherweise schaut man auch bei der ATC vorbei.
Dort wird ein Photo von einem geknipst, das mit Datum, aktueller Thru-hiker-Nummer, Trailnamen und Kontaktadresse versehen ins jährliche Hikeralbum hineinkommt.
Ganz zu schweigen davon, dass man mit den netten Leuten dort einen Plausch abhalten kann, wobei man natürlich auch allerhand interessante Details zum Trail erfährt. Nun hatte ich ja sowieso längst geplant, ein Buch über den AT zu schreiben, für das mich daher interessierte, wie es mit den bisher registrierten Thru-hikern aus Deutschland aussah.
Ich erfuhr, dass ich dieses Jahr bis dato der einzige Thru-hiker aus Deutschland auf dem Trail war, der hier durchgekommen sei. Insgesamt war ich der 350. Thru-hiker, der im Jahr 2007 von Springer Mountain, Georgia bis Harpers Ferry, West-Virginia gewandert ist.
Von 1989, den frühesten Meldungen bei der ATC, bis 2006 gab es insgesamt 13 bei der ATC registrierte deutsche Thru-hiker, davon zwei Frauen, die den AT als Team von Georgia bis Maine gewandert sind und 11 Männer, ebenfalls Northbounder, wovon einer zwei NoBo Thru-hikes in zwei aufeinanderfolgenden Jahren gemacht hat.
Kein Southbounder war unter ihnen, und keiner, der beide Richtungen gegangen ist.

Nun kann ich nicht bestimmt sagen, ob mich da schon der wilde Affe gebissen hat bezüglich eines SoBo Thru-hikes. Erste Gedankenspiele kamen mir in Pennsylvania, die ich allerdings sofort abblockte. Noch war ich ja nicht einmal in Maine, und überhaupt!
Ist ja nicht gerade ein Spaziergang, das Ganze. – Nee, also wirklich!

Das hatte eher noch etwas von einer abstrusen Spinnerei, mit der ich mich nicht weiter beschäftigen wollte.

Dann kam Vermont.
Nach den ersten Meilen in diesem Bundesstaat, als ich ein Photo löschen wollte, das nichts geworden war, brachte ich es fertig, versehentlich die gesamte SD-Karte meiner Digitalkamera zu löschen, auf der die Photos von fast dem ganzen Staat New York, ganz Connecticut und Massachusetts gespeichert gewesen waren!
In fassungslosem Entsetzen starrte ich auf meine Kamera in der Hand.
Das war natürlich ein herber Verlust.
– Fast drei ganze Trailstaaten, deren Photos mir nun fehlten!
Nach dem ersten Schock, gefolgt von einem unbändigen Ärger über mich selbst, flackerte erneut der Gedanke auf: *Southbound, baby! Southbound* ...

Am 7. September 2007, als ich als 166. Northbound Thru-hiker der *class of '07* Mount Katahdin in Maine bestieg, hatte ich das Ganze letztlich mit mir ausgemacht und wusste, dass ich auf den Appalachian Trail zurückkommen und dass es ein Southbound werden würde.

Der Unglücksfall mit den Photos mag Raum für allerlei psychologische Interpretationen lassen; für mich jedoch war dies sozusagen der Tritt, der alles ins Rollen brachte.
Hinzu kam, dass mein Ehrgeiz bezüglich fehlender deutscher Southbounder geweckt war.
Warum also nicht?
Interessant ist der Vergleich der beiden Richtungen allemal, und natürlich wollte ich wissen, ob ich einen Southbound überhaupt durchstehen würde.
Denn Southbounder galten bei uns NoBos von 2007 als die wirklich taffen Hiker, vor denen wir Respekt hatten, auch wenn wir es natürlich nicht so offen zeigen wollten, schließlich wanderten wir uns ja auch den Hintern ab. Aber trotzdem, ein Southbound am AT, das lag gleich einmal ein paar Latten höher ...

Damit das Vorhaben nicht an fehlender Kondition scheitern würde, habe ich von meiner Rückkehr aus den USA und Kanada im November 2007 bis Ende Mai 2008, noch bis vor dem Abflug nach Boston, mindestens fünf Tage pro Woche mit vollbepacktem Tourenrucksack daran gearbeitet, Trail-Fitness zu erhalten, so gut es ging. Dabei bin ich zuhause sämtliche Wandersteige der näheren Umgebung in allen Richtungen gewandert, auch bei Schnee und mit Einsinken bis zu den Oberschenkeln, damit ich fit sei für einen Southbound am AT.

Dieses Training hat sich gelohnt, denn als ich auf den Trail in Maine zurückkam, konnte ich tatsächlich sofort loslegen, als sei ich nur ein paar Tage weggewesen – und das trotz Jetlag.

Im Jahr 2008 ergab sich mit einem Mal eine echte Überraschung, als plötzlich zwei deutsche Southbounder am Trail unterwegs waren! Und zwar beides Frauen. Eine Hikerin, die nach mir gestartet ist, um mit dem AT ihre Triple Crown zu vervollständigen, und ich.
Bereits im Süden Maines erfuhr ich in einem Hostel, dass eine weitere Deutsche hinter mir southbound unterwegs sei, außerdem, dass ein deutsches Fernsehteam am Trail drehe und ein weiterer Deutscher mit Hund von Georgia nach Maine wandere, der schon einen NoBo komplett gemacht habe.
– So kann es mit einem Mal gehen!

Insgesamt veränderte sich 2008 das oben angeschnittene Ranking der deutschen Hiker noch etwas, wenn man einen Wettbewerbsaspekt auf den Appalachian Trail anwendet, dessen Geist eher nicht in diese Richtung reicht, denn im Vordergrund stand und steht von je her das Naturerlebnis, die Freude daran und der Erhalt dieser vielfältigen Bergwelt für nachfolgende Generationen.
Zu dem Herrn aus Freiburg, der als erstes zwei NoBo Thru-hikes gewandert war, kam also im Laufe des Jahres ein zweiter Baden-Württemberger hinzu, der mit seinem Hund Ronja ebenso seinen zweiten NoBo Thru-hike auf dem AT machte.
Bei den deutschen Southboundern gibt es seit 2008 zwei weibliche Pioniere.

Als ich am 26. September um 12 Uhr 40 mittags auf Springer Mountain das südliche Ende des Appalachian Trails erreichte, tat ich das als erster deutscher Southbounder überhaupt.
Auch der zweite Rang unter den deutschen Southboundern auf dem AT fällt auf eine Frau – jene, die damit ihre Triple Crown der drei großen US-Langstreckenwanderwege komplettiert hat.
Bei den Northboundern bin ich seit 2007 die dritte Deutsche, und insgesamt der 14. deutsche Thru-hiker, der den Trail vollständig von Georgia bis Maine gewandert ist. Was das Alleinwandern betrifft, bin ich gleichzeitig der erste weibliche NoBo Thru-hiker unter den Deutschen, seit 2008 außerdem die erste Deutsche, die beide Richtungen gewandert ist und eben die erste Deutsche überhaupt, die den Appalachian Trail von Maine nach Georgia als Southbound lief.

Wie bereits angemerkt, ist der eigentliche Zweck der Long-distance Trails nicht ein Leistungs- oder Wettbewerbsaspekt, dennoch spielt dieser selbstverständlich in das ganze Unternehmen hinein.
Da muss man sich nichts vormachen: allein schon, dass man einen solchen Trail von einem Ende zum anderen komplett läuft, hat damit etwas zu tun.
Wenn es Thru-hikern wirklich nur um das reine Natur- und Wandererlebnis ginge, dann könnte man in Georgia bei der nächstbesten Gap am Trail beginnen und irgendwo in Maine wieder aufhören (dasselbe gilt entsprechend der dortigen Gegebenheiten für andere Trails): bis dahin hat man reichlich Gelegenheit gehabt, seine Natur- und Wandererlebnisse zu machen; das hängt schließlich nicht vom offiziellen Anfangs- und Endpunkt eines Trails ab.
Aber dann kann man eben hinterher nicht sagen, den Trail komplett gelaufen zu sein. Und es gibt keine Urkunde mit Registrierung. Kommen noch die anderen Trails der Triple Crown dazu, die man zwar größtenteils aber nicht vollständig wandert, weil es einem wirklich nur um das Wandererlebnis und die Natur geht, gibt es auch hier hinterher keinen Award.

Also – warum sonst wäre es daher so wichtig, solche Trails *komplett* zu wandern, wenn nicht auch aus einem Leistungsaspekt heraus?
Welchen Unterschied würde es denn machen, wenn einem plus/minus hundert Kilometer von diesem oder jenem Trail fehlten, wenn es tatsächlich nur ums Wandern und die Natur ginge?
Und warum wird die Öffentlichkeit im Internet mit Blogs, Videos, Trailtagebüchern oder durch Buchpublikation und weiteres mit ins Boot geholt?
Nur, um von der schönen Natur und dem Wandererlebnis zu berichten?
Doch wohl kaum!

Selbstverständlich ist immer auch der Leistungsaspekt Teil einer Weitwanderung, und zwar ausnahmslos bei allen Thru-hikern, die mit ihrer Weitwanderung auf welche Art auch immer ein breites Publikum daran teilhaben lassen. Wir alle sind und bleiben letztlich Kinder einer Leistungsgesellschaft; aus dieser Haut kommt man so schnell nicht heraus.
Man kann zwar eine Person, die mit den Prinzipen unserer westlichen Gesellschaften großgeworden ist, in Wanderstiefel und in die Wildnis stecken, man kann damit aber nicht die anerzogenen Leistungsprinzipien aus dieser Person tilgen.

Was mich betrifft, hat natürlich auch ein Leistungsaspekt bei beiden Thru-hikes mitgespielt, und das erst recht, als die anfänglichen Abenteuervorstellungen vor dem ersten Mal an der echten Wirklichkeit auf dem Trail zerbröselten.

Genau in diesen allerersten Wochen, in denen so eine Wanderung extrem mühsam ist, zeigt es sich, ob man dranbleibt oder abbricht, denn da sind die schönen Erlebnisse im Verhältnis zur täglichen Anstrengung deutlich in der Minderzahl.
Da muss man in sich selbst etwas finden, das einen weiterhin motiviert, dennoch weiterzumachen. Schöne Natur alleine reicht da gewiss nicht aus, wenn man abens so erschlagen wie noch nie in seinem ganzen Leben in den Schlafsack kriecht – und zwar über Wochen am Stück.
Bei mir waren es Neugierde auf den weiteren Trailverlauf und Ehrgeiz, denn ich bin nun einmal ein sehr ehrgeiziger Mensch.
Hinterher ist es natürlich auch eine feine Sache, wenn es anerkennende Worte zu diesen komplett gemeisterten Wanderungen gibt. Allerdings gilt für mich ebenso, angelehnt an das landläufig bekannte Motto vom Fußball: *Nach dem Thru-hike ist vor dem Thru-hike.* Soll heißen: Es wird langsam Zeit für einen neuen Trip ...

Die Thru-hiker übrigens, denen es die ganze Zeit tatsächlich nur um das Wanderleben draußen in der Bergwelt geht, von denen hört und sieht man jenseits der Trails fast nichts, denn diese Menschen kümmern sich nicht um Publicity oder darum, im Internet präsent zu sein – sie sind, sobald es ihnen irgendwie möglich ist, draußen in den Bergen und wandern einfach. Wenn man Glück hat, trifft man solche Long-distance Hiker draußen am Trail oder erfährt durch Hörensagen von ihnen.
Auch hier hatte ich das ganz große Glück, einem dieser Menschen zu begegnen, als ich meinen Northbound machte. *Buffalo Bobby* aus New Jersey liebte es einfach, auf dem Appalachian Trail zu wandern – ob nun als Thru-hike, als Section-hike für einige Tage oder Wochen spielte keine Rolle: der Mann packte seinen Rucksack, wenn es sich für ihn einrichten ließ und genoss das Wanderleben auf dem Trail.

Billy's/Rand's View auf dem Appalachian Trail südlich von Salisbury, Connecticut,
mit Blick auf die Taconic Range
Oktober 2008

"Autumn is the American Season. In Europe the leaves turn yellow or brown, and fall. Here they take fire on trees and hang there flaming."
~ Archibald MacLeish

["Herbst ist die Amerikanische Jahreszeit. In Europa werden die Blätter gelb oder braun und fallen ab. Hier entflammen sie auf den Bäumen und hängen dort feuerrot."]

Der 'Glücksfall':

Auf meinem Southbound, als ich gerade die ersten Meilen ins Dutchess County im Bundesstaat New York hineingewandert war, zeigte mir meine Kamera nach einem Photo plötzlich eine Fehlermeldung an: *SD-Card Error*. Es ließ sich weder etwas abspeichern, noch konnte ich meine bisherigen Photos ansehen.
Später, bei einem Abstecher in Pawling, bestätigten sich beim Kartencheck in einer Drogerie mit Photo-Sofortdruckmaschinen meine schlimmsten Befürchtungen: die Karte war in der Kamera kaputt gegangen.
Und mit ihr sind die Photos der Trailstaaten Massachusetts und Connecticut ins digitale Nirwana verschwunden! – Arrrghhh!! Schon wieder ..!

Hier ist ein Einschub angebracht, was daran so reizvoll sein soll, einen Trail, den man in ganzer Länge schon gewandert ist, ein zweites oder gar mehrere Male erneut zu wandern.
Nun – auch wenn man die Örtlichkeiten schon einmal erlebt hat, hat man doch mitnichten 'alles' gesehen: je nach Witterung, Tages- und Jahreszeit sind sie anders; ja, sogar die Lichtverhältnisse bringen andere Stimmungen hervor. Man ist tatsächlich nie wirklich 'fertig' mit einem Trail. Er lebt, er atmet und er ändert sich jeden Augenblick. Was man erhascht, ist eine kurze Momentaufnahme, ein Eindruck, der für den nächsten Hiker schon wieder anders sein kann. Deshalb lohnt es sich unbedingt, zurückzukehren.

Im Oktober kam ich erneut in die beiden Neu-Englandstaaten Massachusetts und Connecticut mit einem Mietauto, um deren Etappen zum dritten Mal auf dem AT zu durchwandern.
Ich hatte keine Ahnung, welche Überraschung dort auf mich wartete, denn ich sollte einen phantastischen *Indian Summer* erleben mit leuchtend eingefärbtem Herbstlaub, wie es ihn nur an der Ostküste und bis hinein nach Kanada gibt.

Flammende Rot- und Orangetöne mit leuchtendem Gelb – Farben, die vor Intensität zu lodern schienen, in atemberaubender Schönheit!
Also, wenn das einmal kein ausgesprochenes Glück im Unglück war! Wäre mir der SD-Kartencrash im Sommer nicht passiert, hätte ich dieses einmalige Naturschauspiel in Neu-England nicht miterlebt.
Bis heute sind für mich mit diesen strahlenden, leuchtenden Laubfarben zwei Musikstücke untrennbar verbunden, die ich im Auto über den CD-Player hörte, als ich nach Abschluss der erneuten Wanderung bei herrlichem Sonnenschein eine Landstraße durch üppig belaubtes Waldgebiet fuhr, wo die Goldgelb- und Orangetöne an den Bäumen schier um die Wette loderten. Am liebsten hätte ich wohl x-mal mitten auf der Straße angehalten, um die Kamera dieses Augenschmauses wegen zu zücken, doch leider, leider gab es meilenweit keine geeignete Parkbucht.
Im CD-Player befand sich gerade ein Album mit Alter Musik, eingespielt vom spanischen Ensemble *Hespèrion XXI* unter Jordi Savall, *Altre Folie 1500 – 1750*, das ich mir eben erst in Great Barrington, Massachusetts, gekauft hatte.
'Folias criollas' und *'Folias antiguas'* wurden zu meinem bleibenden Soundtrack des Indian Summer, als ich von Massachusetts über Connecticut und New York durch diese atemberaubend schönen Herbstfarben Richtung Pennsylvania fuhr ...

"The nearest way to the universe
is through a forest wilderness."

~ John Muir

Der kürzeste Weg zum Universum
führt durch eine Waldwildnis

Springer Mountain, Georgia.
erstes *white blaze* vom Appalachian Trail und Plakette zum Südlichen Terminus
1. April 2007

Der Appalachian Trail in Profilübersicht

Auf den folgenden Seiten entfaltet sich der gesamte Appalachian Trail Bundesstaat für Bundesstaat in Übersichts-Profilgrafiken zu je 28 Meilen. Ausgenommen davon ist der erste kürzere Abschnitt in Georgia, der das Wegprofil vom Zugangstrail zu Springer Mountain wiedergibt, wo der Appalachian Trail seinen südlichen Start- oder Endpunkt hat.
Die Frage, ob man diesen *Approach Trail* wandern solle oder nicht, da der AT für Northbounder doch erst am Gipfel von Springer Mountain beginnt, beantworte ich mit einer klaren Empfehlung dafür.

Auf diesen 8,8 Meilen erhält man einen guten Eindruck davon, was einen ab Springer Mountain auf dem AT erwartet. Wenn man bereits da beim Wandern herausfinden sollte, dass man diese 8,8 Meilen schon nicht prickelnd findet, ist der Rückweg zumindest nicht so weit.
Denn das, was sich dort auf dem Approach Trail manifestiert, bleibt auch tägliches Menü auf dem Appalachian Trail.
Außerdem wandert man auf dem Approach Trail zwischen Amicalola Falls State Park und dem Gipfel von Springer Mountain auf einem ehemaligen Teilstück des ursprünglichen Appalachian Trail, der von Mount Oglethorpe in Georgia bis Mount Katahdin in Maine verlief.
Sowohl Earl Shaffer, Emma Gatewood, Gene Espy und die anderen Thru-hike-Pioniere haben auf Mount Oglethorpe ihre Wanderung begonnen.
Nachdem um diesen Berg aber immer größere Geflügelfarmen entstanden sind, sodass kein Wildniserlebnis für Wandernde in der Gegend mehr möglich war, wurde im Jahr 1958 der südliche Terminus des AT zwanzig Meilen nördlich auf Springer Mountain verlegt.

Am 1. April 2007, als ich zu Springer Mountain hochstieg, bekam ich gleich einen guten Wettermix aus Sonne, Wolken und kräftigen Regenschauern ab, gerade so, als sollte mein Entschluss daraufhin geprüft werden, ob ich mir wirklich sicher sei, den AT wandern zu wollen – und ja, ich wollte; trotz allem!

Springer Mtn.
Approach Trail

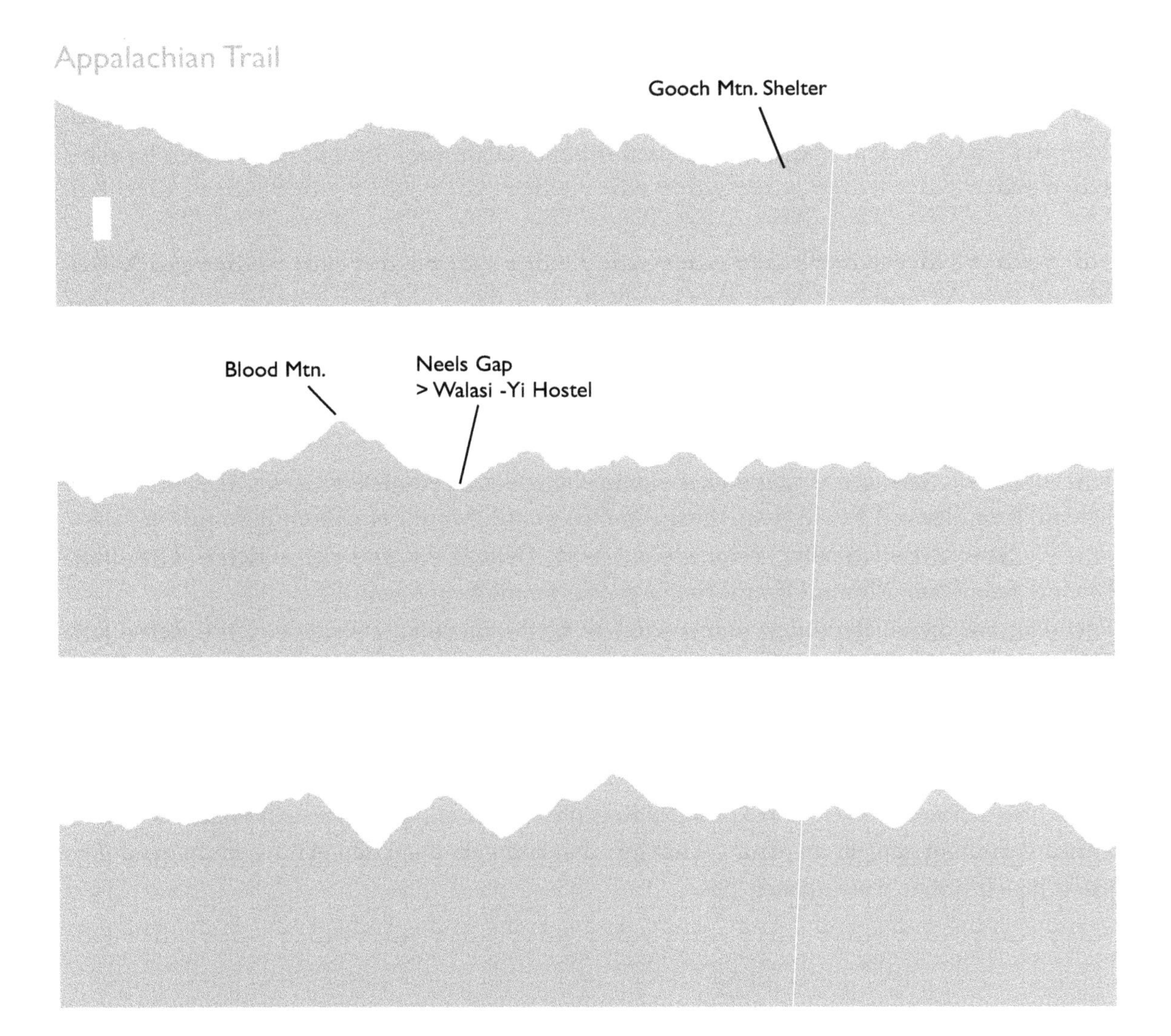
Appalachian Trail
Gooch Mtn. Shelter
Blood Mtn.
Neels Gap
> Walasi -Yi Hostel

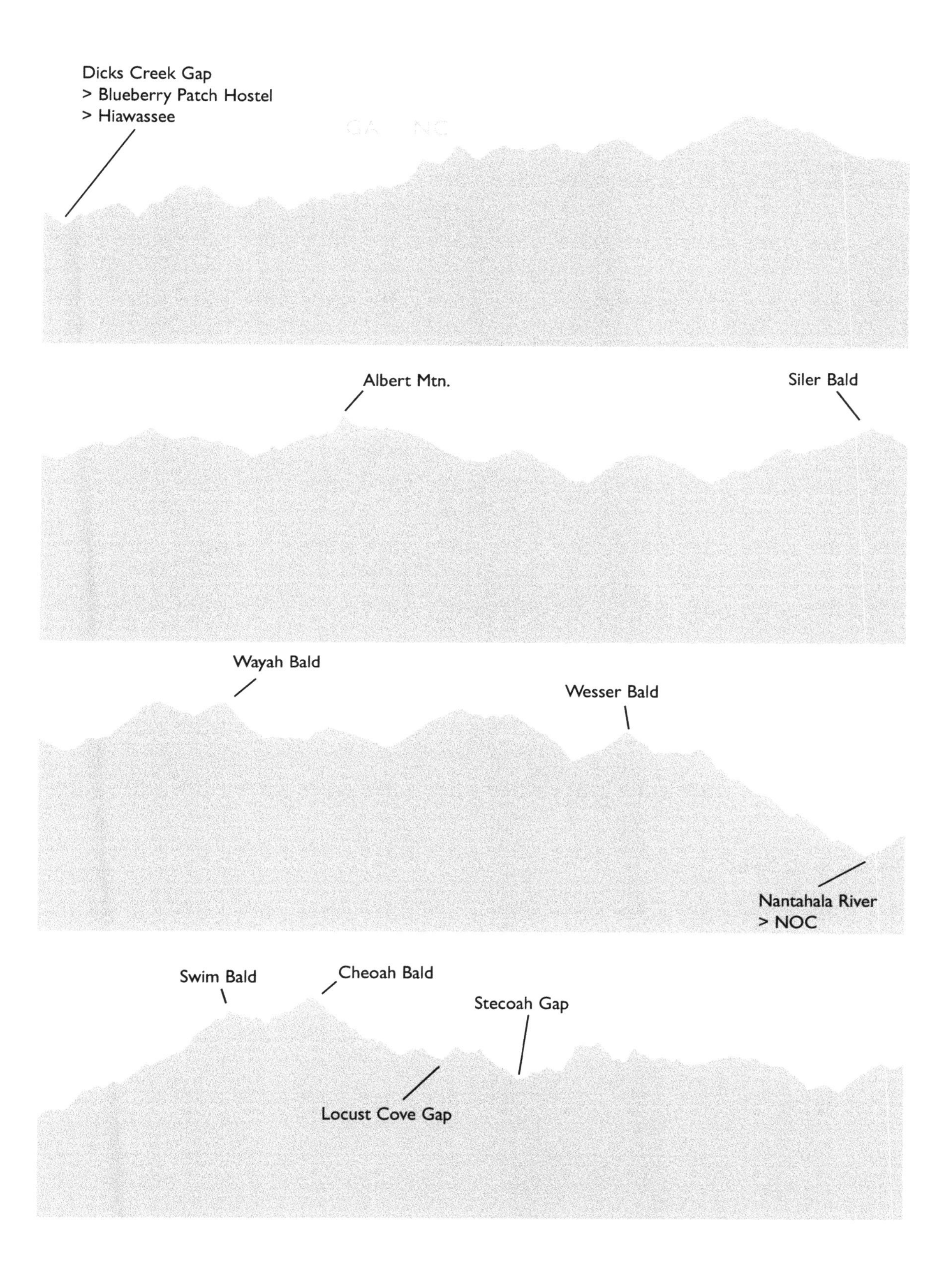

Dicks Creek Gap
> Blueberry Patch Hostel
> Hiawassee
GA NC
Albert Mtn.
Siler Bald
Wayah Bald
Wesser Bald
Nantahala River
> NOC
Swim Bald
Cheoah Bald
Stecoah Gap
Locust Cove Gap

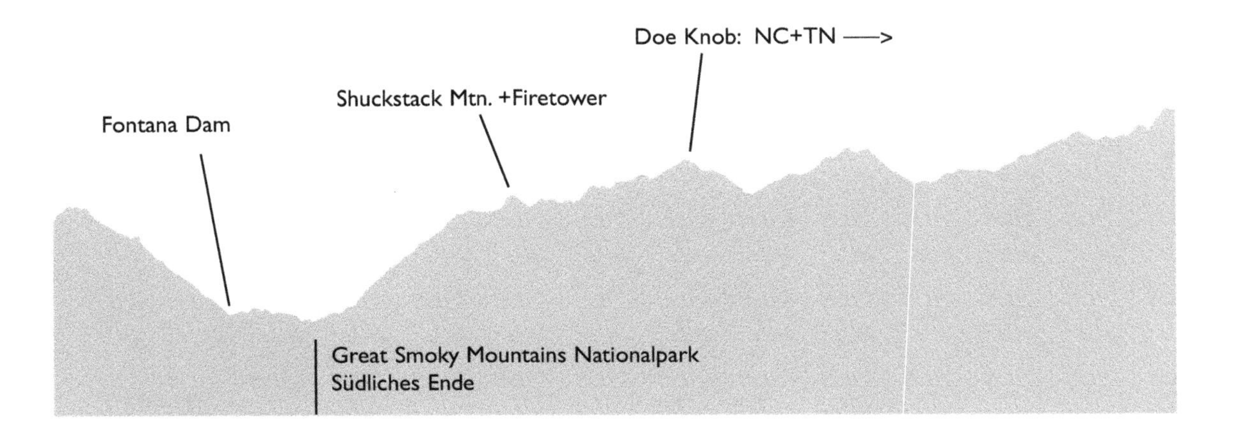
Doe Knob: NC+TN ——>
Shuckstack Mtn. +Firetower
Fontana Dam
Great Smoky Mountains Nationalpark
Südliches Ende

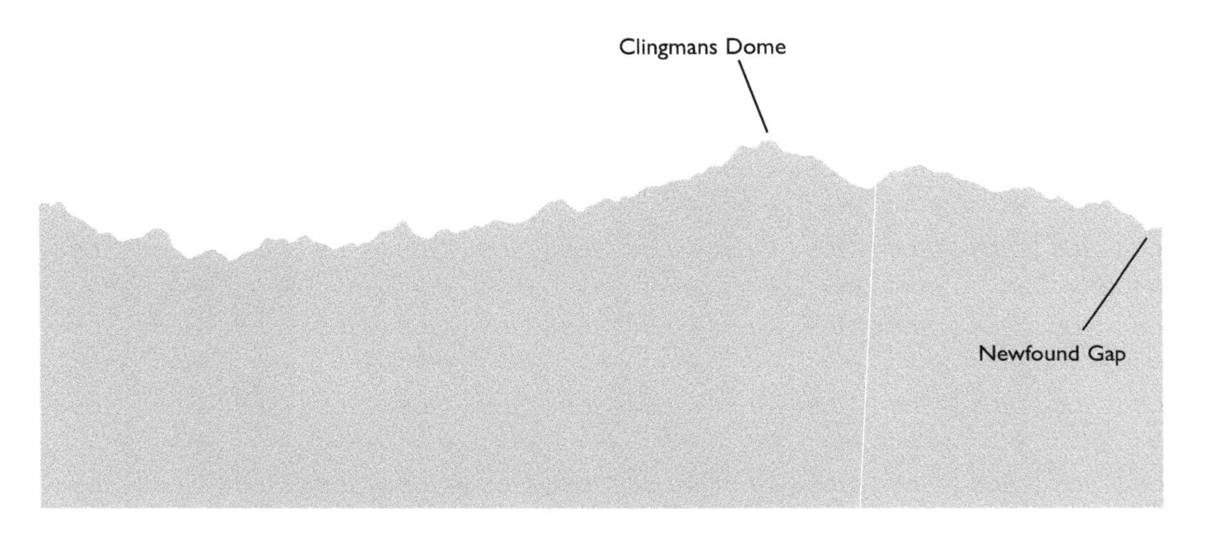
Clingmans Dome
Newfound Gap

Icewater Spring Shelter

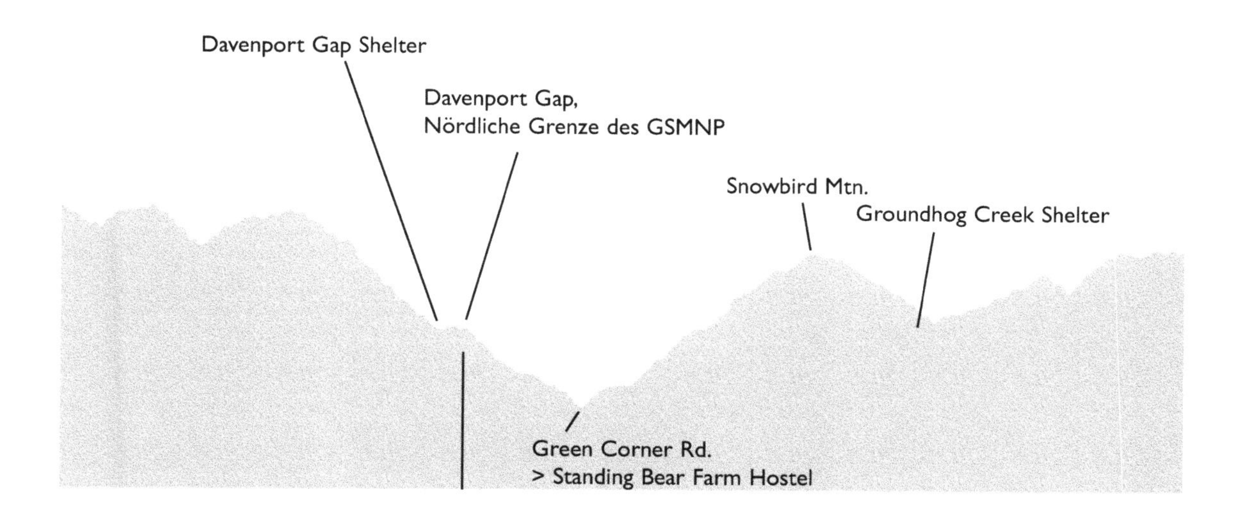
Davenport Gap Shelter
Davenport Gap,
Nördliche Grenze des GSMNP
Snowbird Mtn.
Groundhog Creek Shelter
Green Corner Rd.
> Standing Bear Farm Hostel

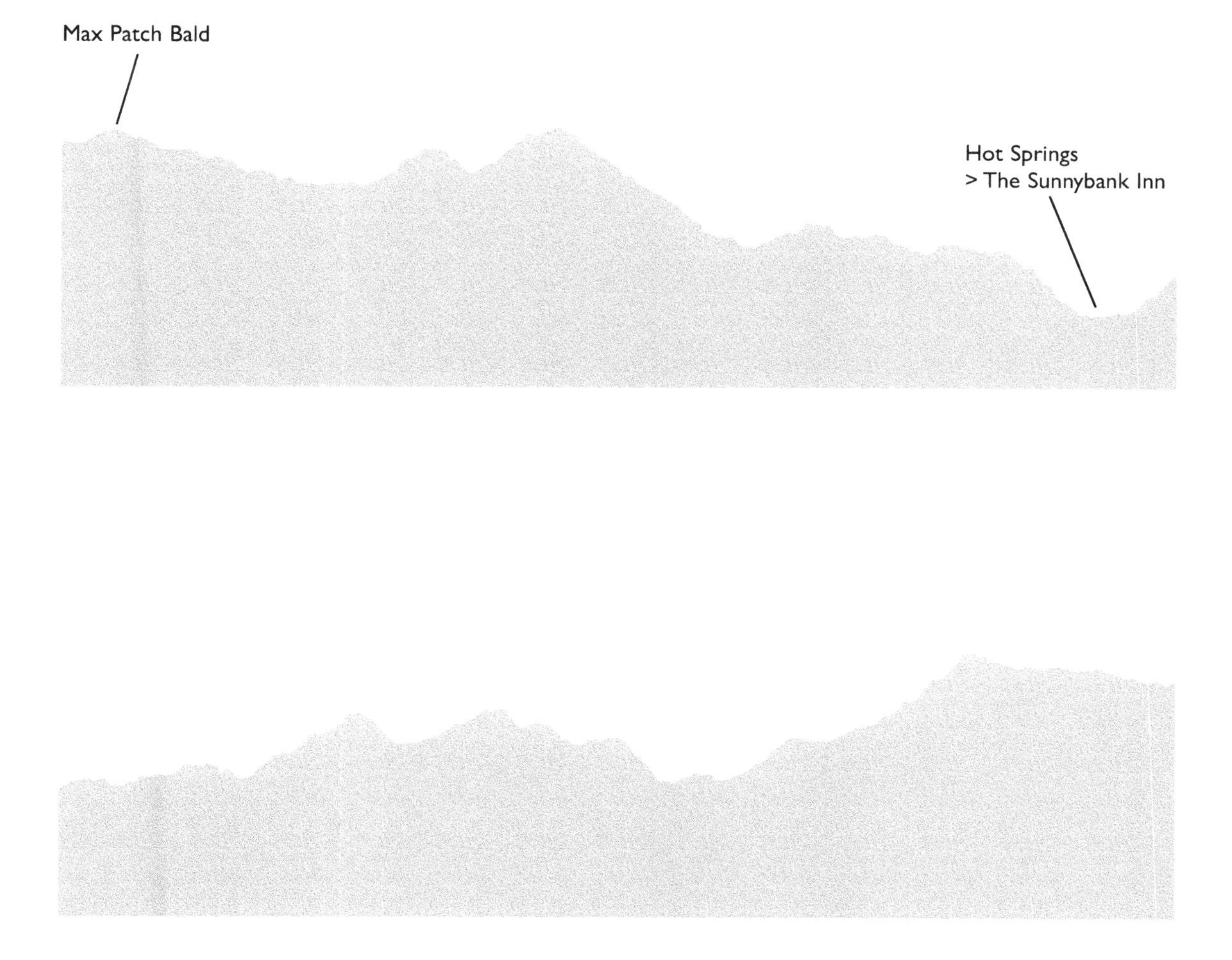
Max Patch Bald
Hot Springs
> The Sunnybank Inn

Big Butt Mtn.

Big Bald
Nolichucky River
> Uncle Johnny's Hostel
> Erwin, TN

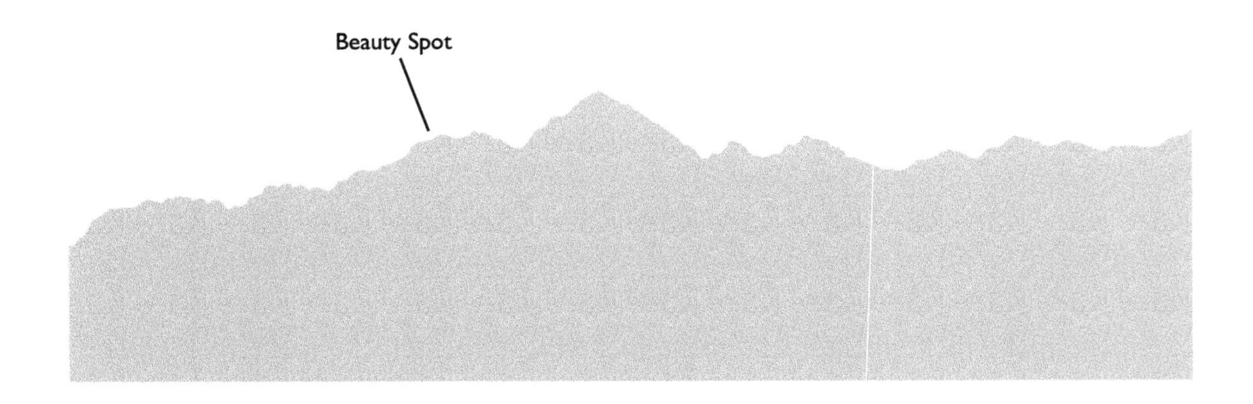
Beauty Spot

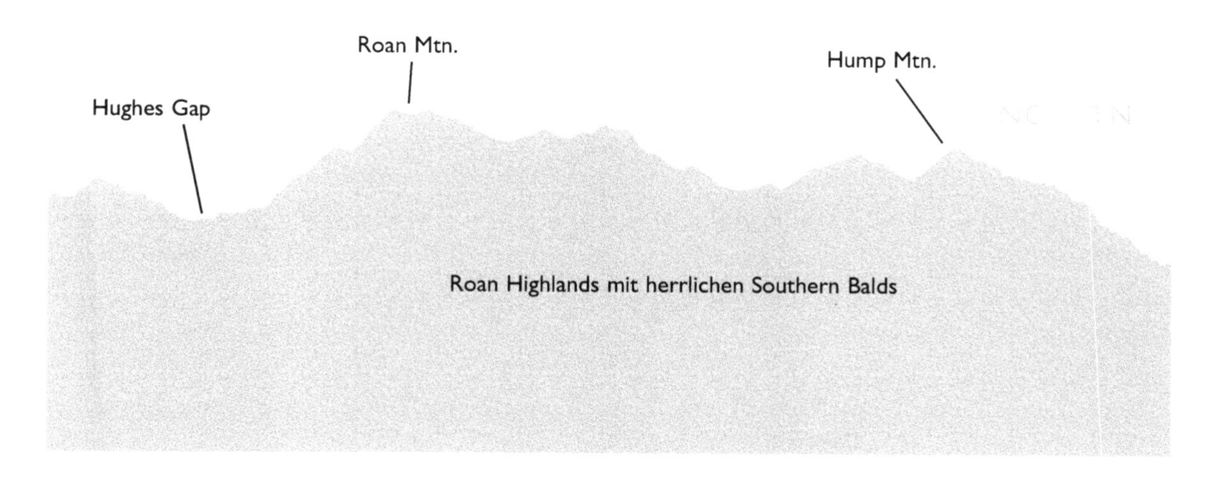
Roan Mtn.
Hump Mtn.
Hughes Gap
Roan Highlands mit herrlichen Southern Balds

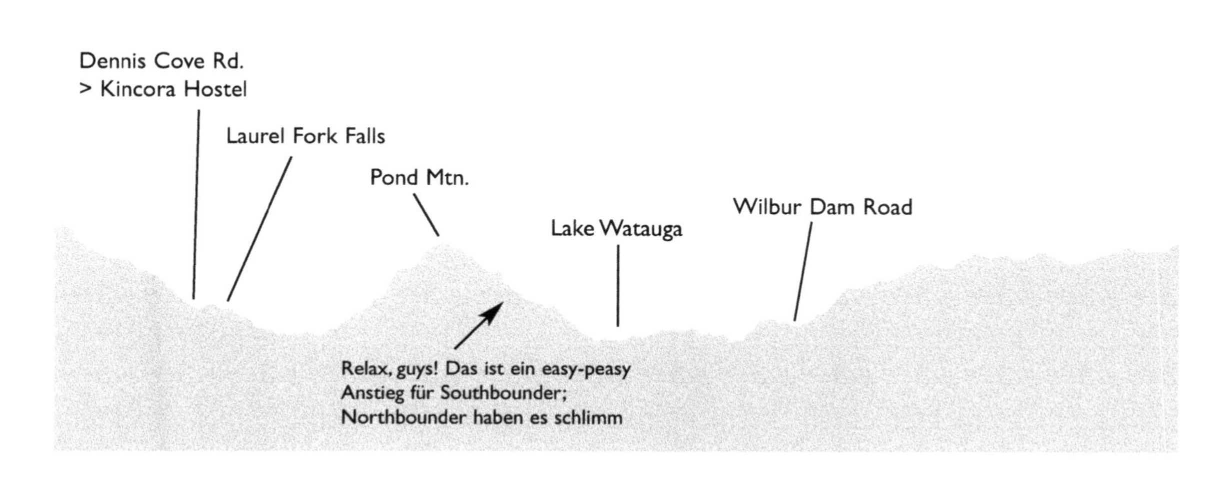
Dennis Cove Rd.
> Kincora Hostel
Laurel Fork Falls
Pond Mtn.
Wilbur Dam Road
Lake Watauga
Relax, guys! Das ist ein easy-peasy
Anstieg für Southbounder;
Northbounder haben es schlimm

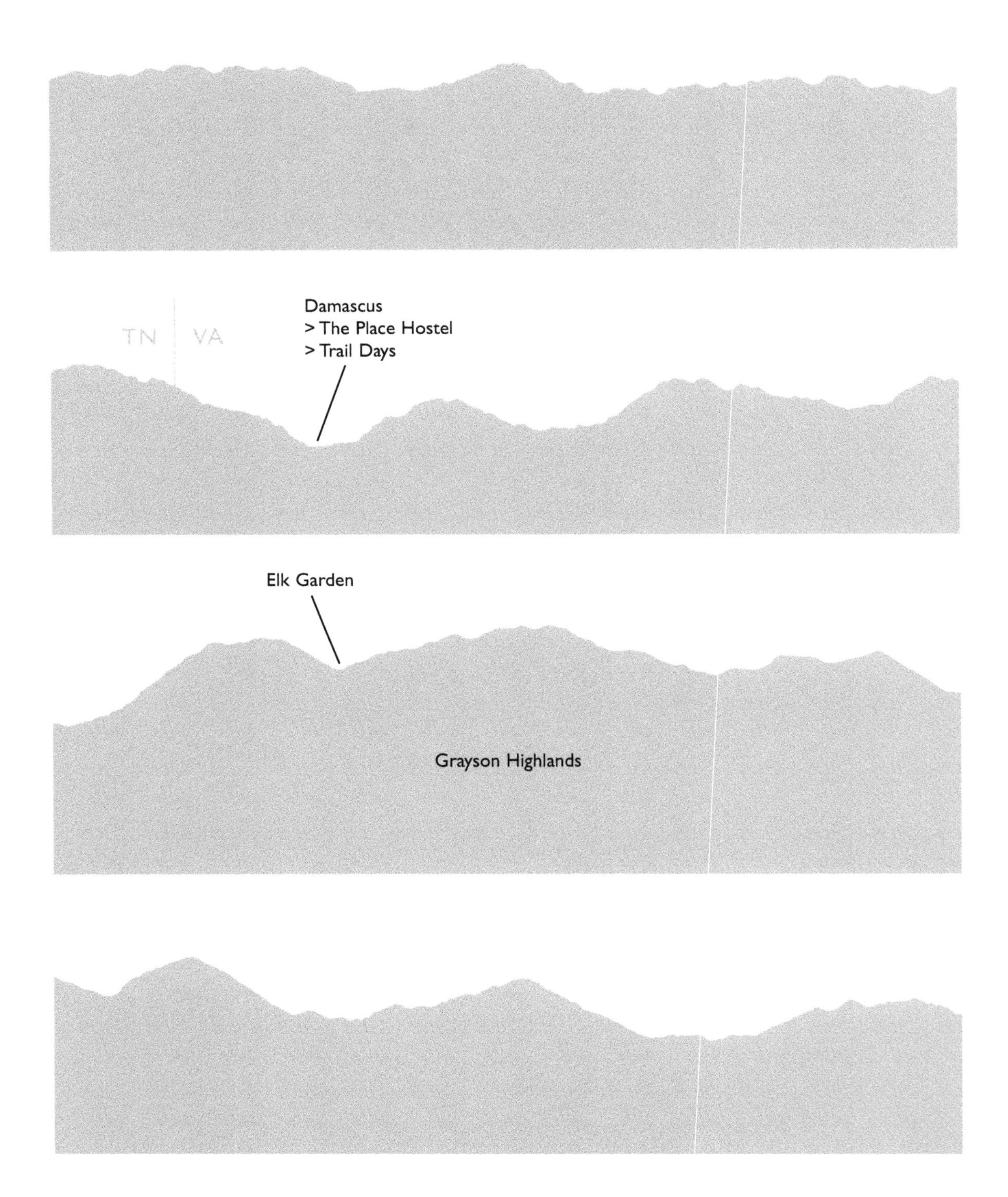
TN
VA
Damascus
> The Place Hostel
> Trail Days
Elk Garden
Grayson Highlands

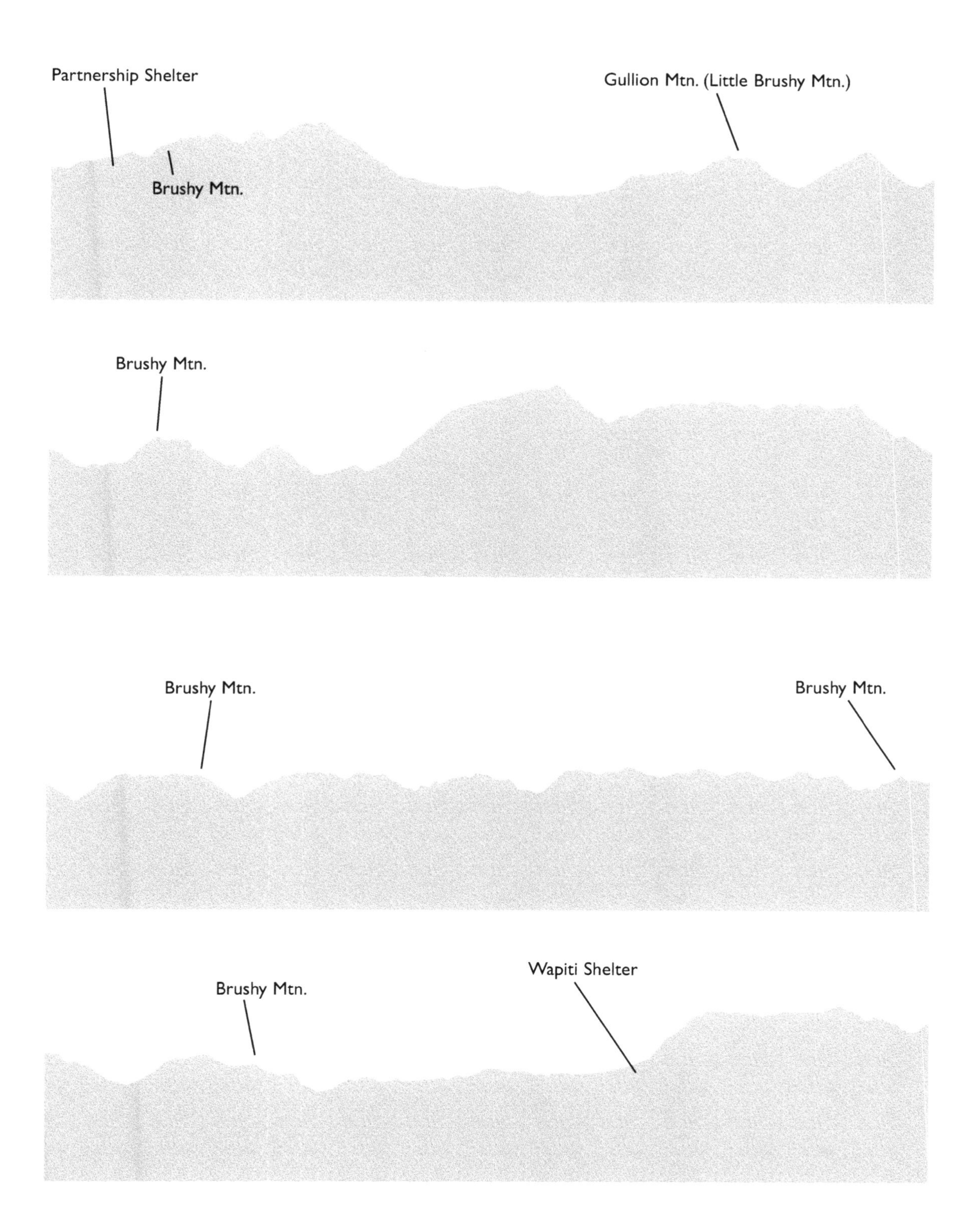
Partnership Shelter
Gullion Mtn. (Little Brushy Mtn.)
Brushy Mtn.
Brushy Mtn.
Brushy Mtn.
Brushy Mtn.
Wapiti Shelter
Brushy Mtn.

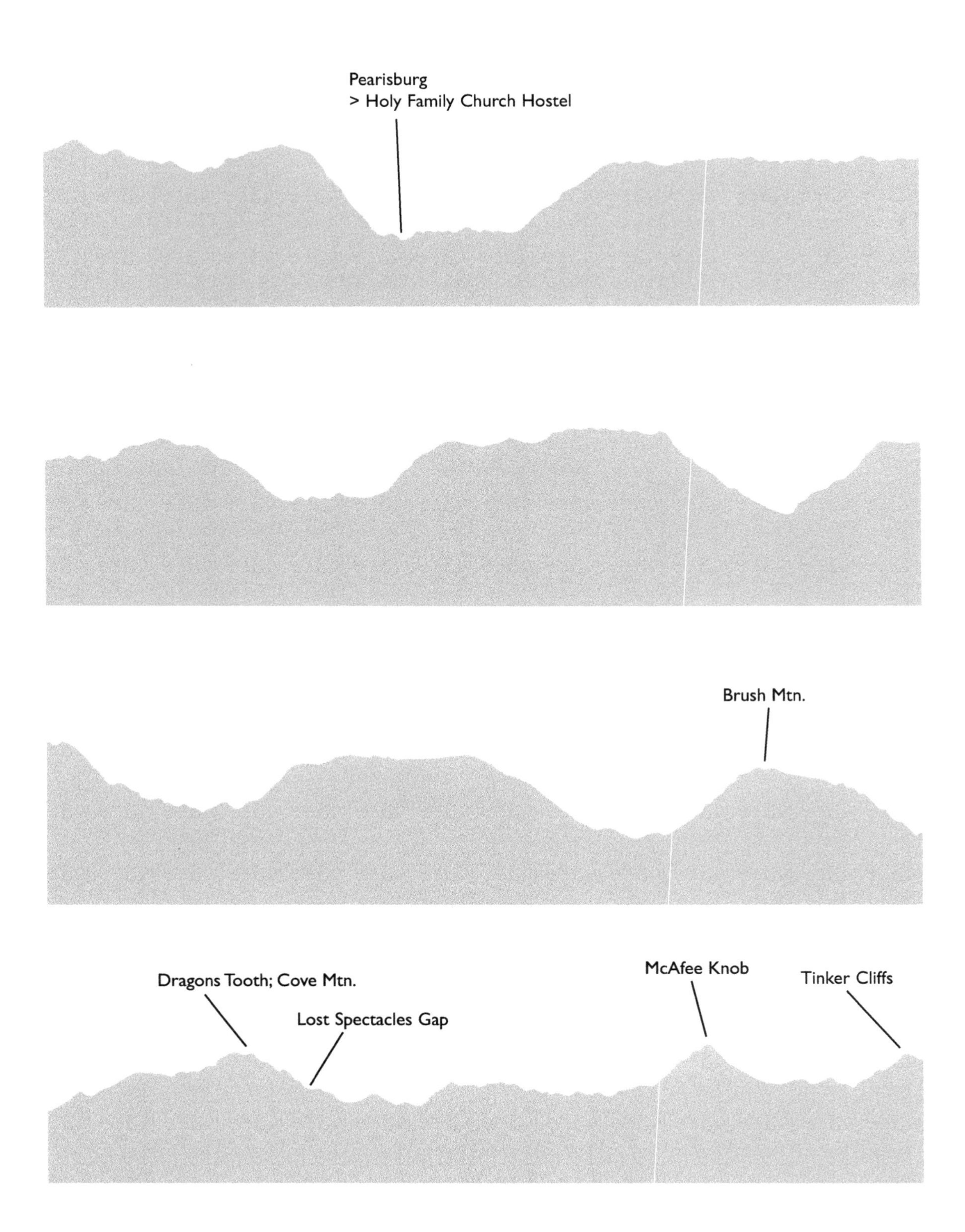
Pearisburg
> Holy Family Church Hostel
Brush Mtn.
Dragons Tooth; Cove Mtn.
Lost Spectacles Gap
McAfee Knob
Tinker Cliffs

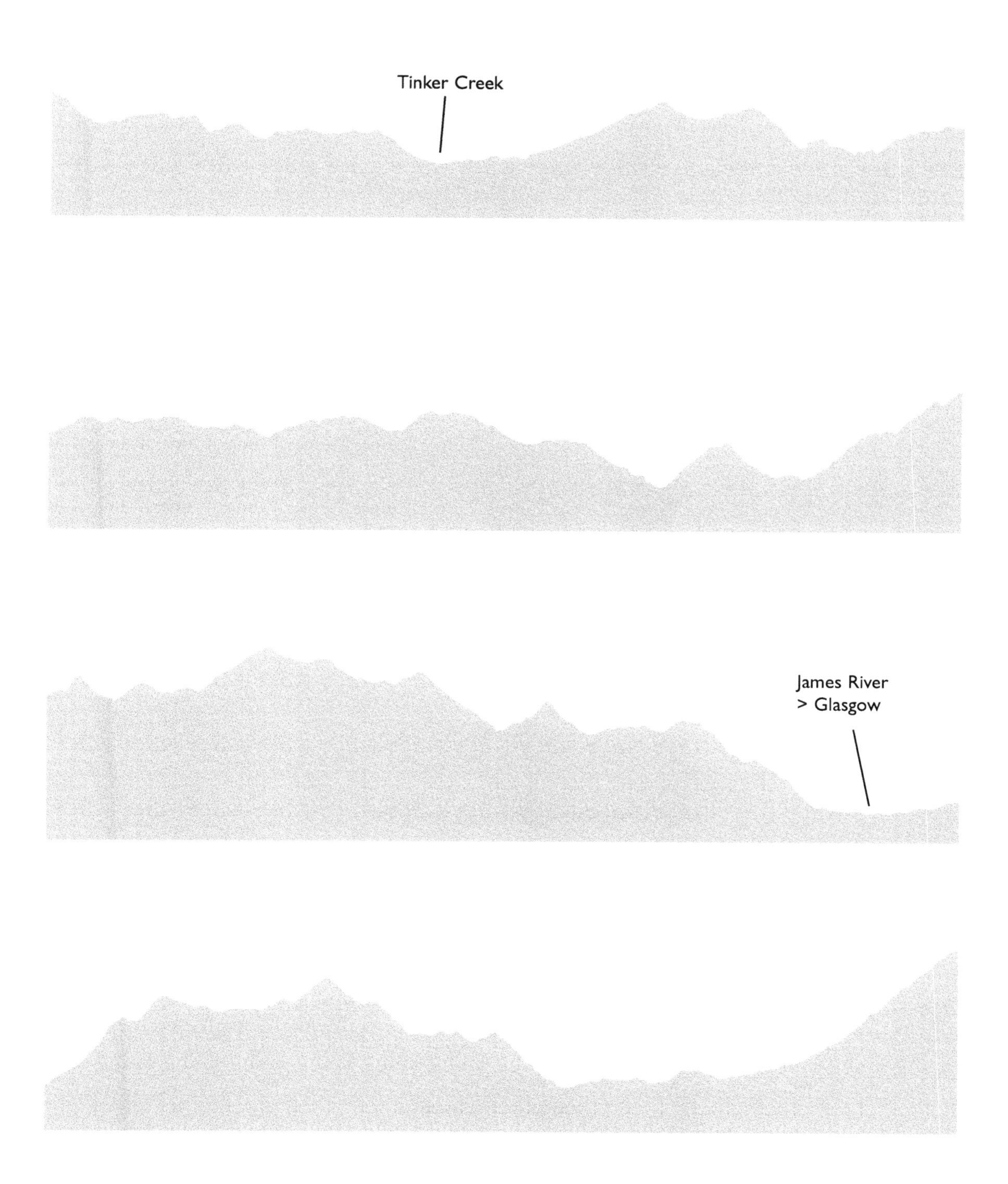
Tinker Creek
James River
> Glasgow

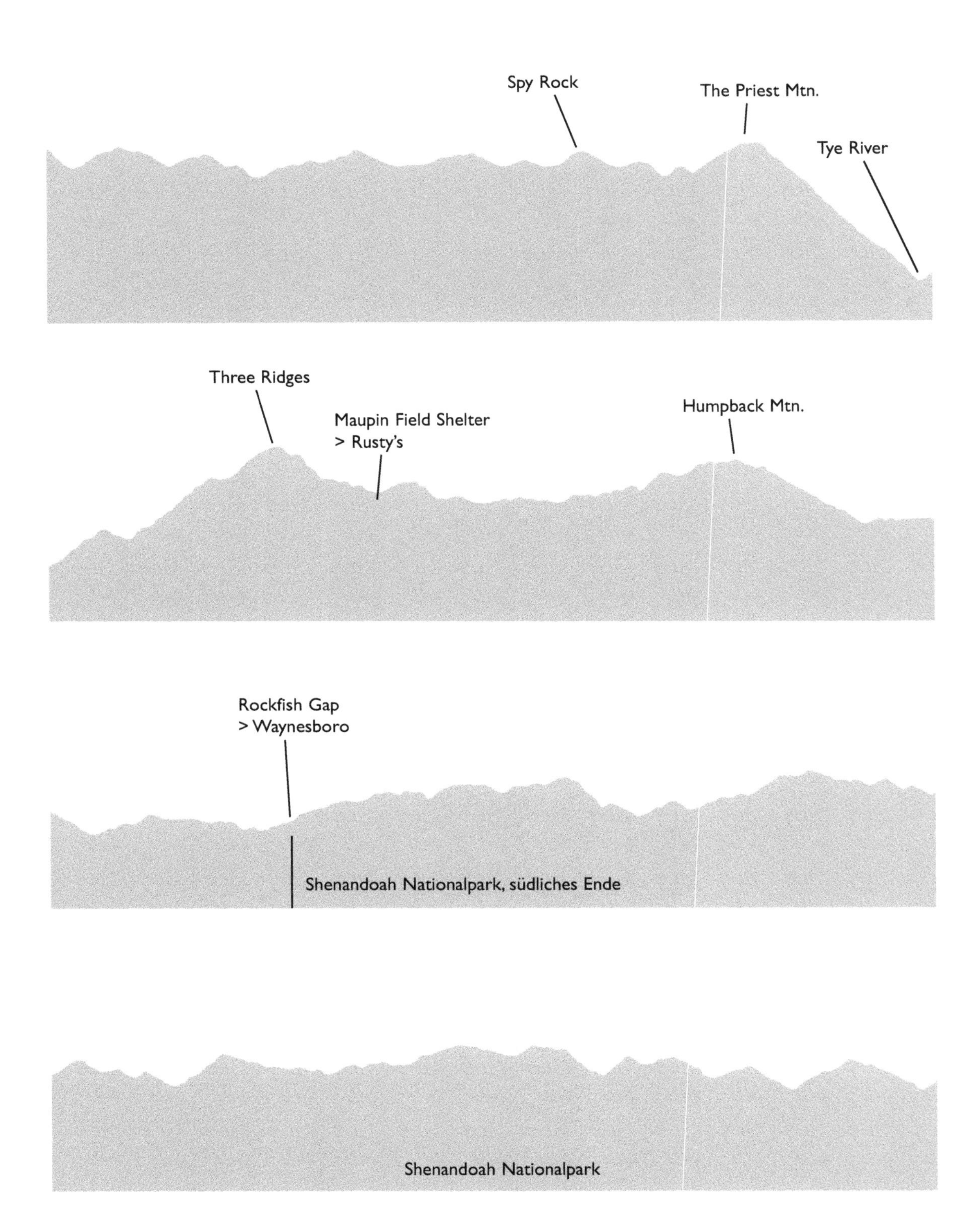
Spy Rock
The Priest Mtn.
Tye River
Three Ridges
Maupin Field Shelter
> Rusty's
Humpback Mtn.
Rockfish Gap
> Waynesboro
Shenandoah Nationalpark, südliches Ende
Shenandoah Nationalpark

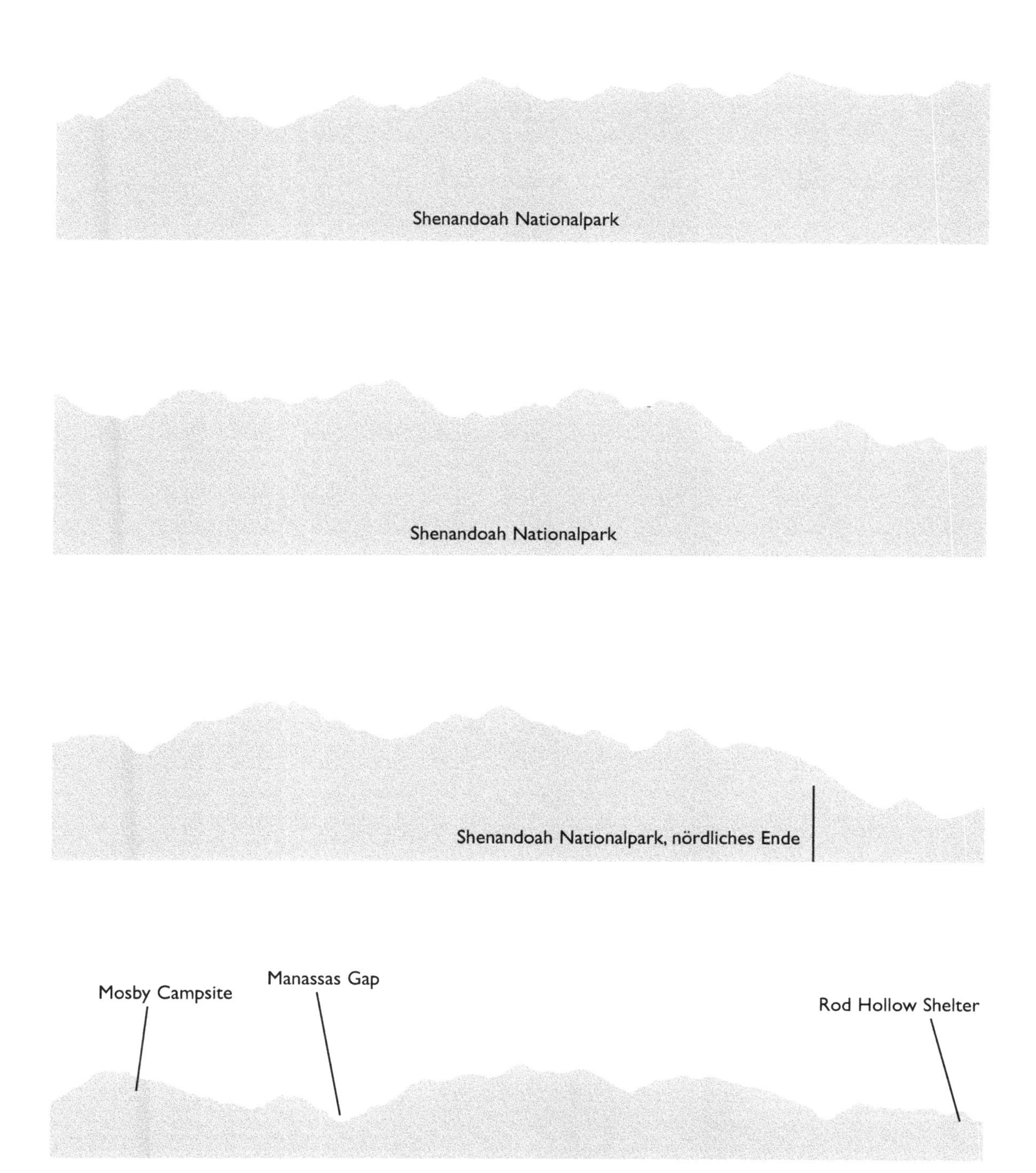
Shenandoah Nationalpark
Shenandoah Nationalpark
Shenandoah Nationalpark, nördliches Ende
Mosby Campsite
Manassas Gap
Rod Hollow Shelter

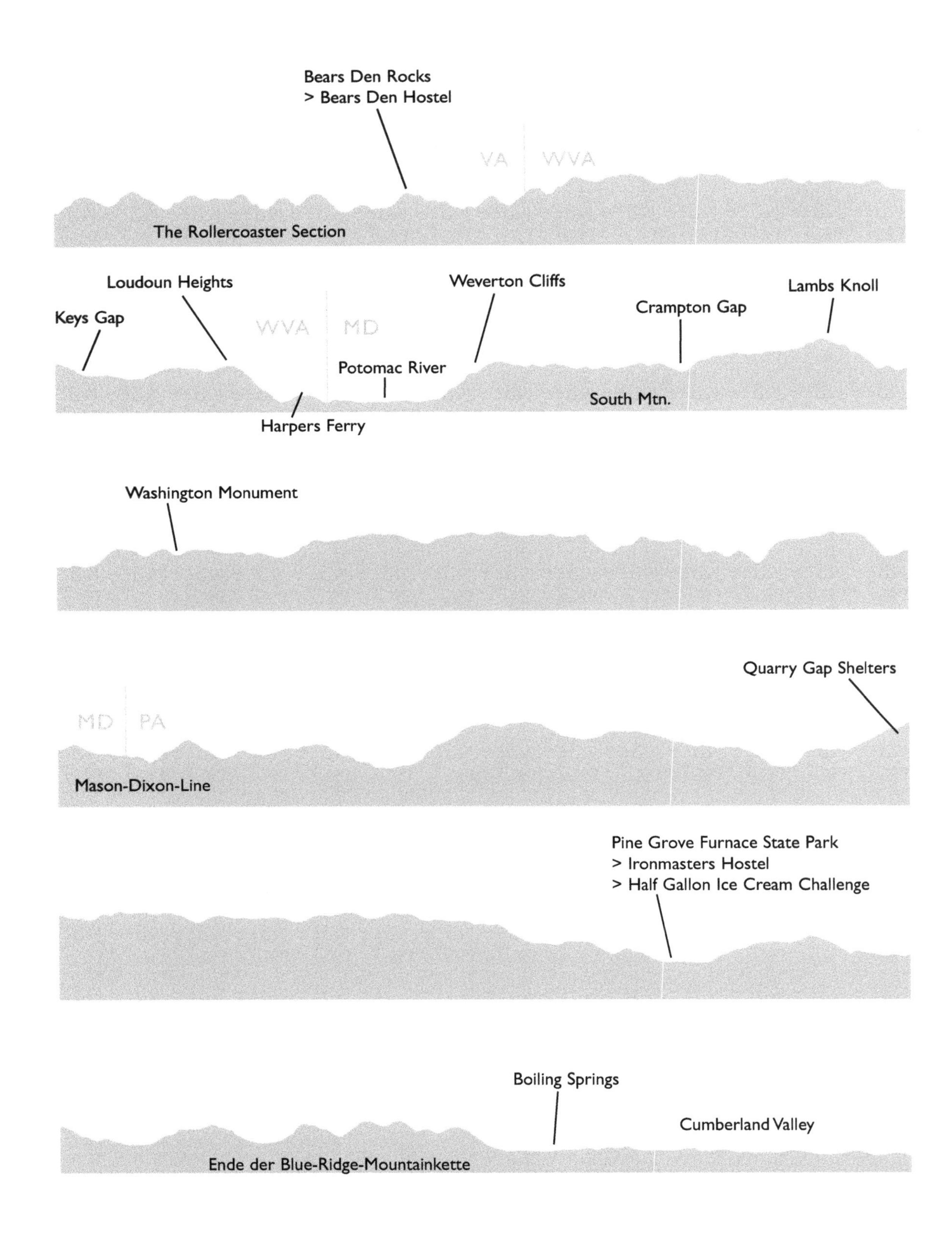
Bears Den Rocks
> Bears Den Hostel
VA
WVA
The Rollercoaster Section
Loudoun Heights
Keys Gap
WVA
MD
Weverton Cliffs
Crampton Gap
Lambs Knoll
Potomac River
South Mtn.
Harpers Ferry
Washington Monument
Quarry Gap Shelters
MD
PA
Mason-Dixon-Line
Pine Grove Furnace State Park
> Ironmasters Hostel
> Half Gallon Ice Cream Challenge
Boiling Springs
Cumberland Valley
Ende der Blue-Ridge-Mountainkette

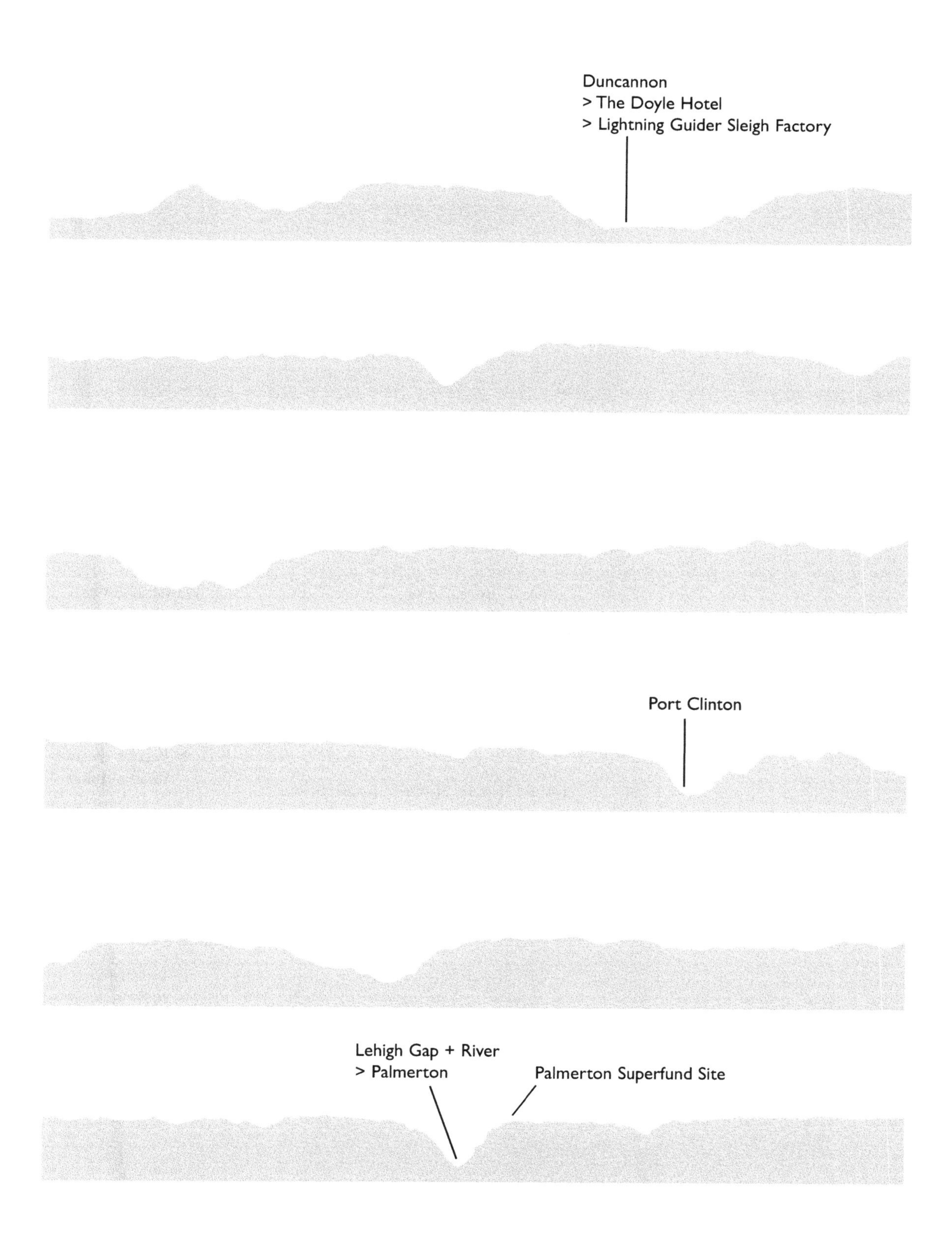
Duncannon
> The Doyle Hotel
> Lightning Guider Sleigh Factory
Port Clinton
Lehigh Gap + River
> Palmerton
Palmerton Superfund Site

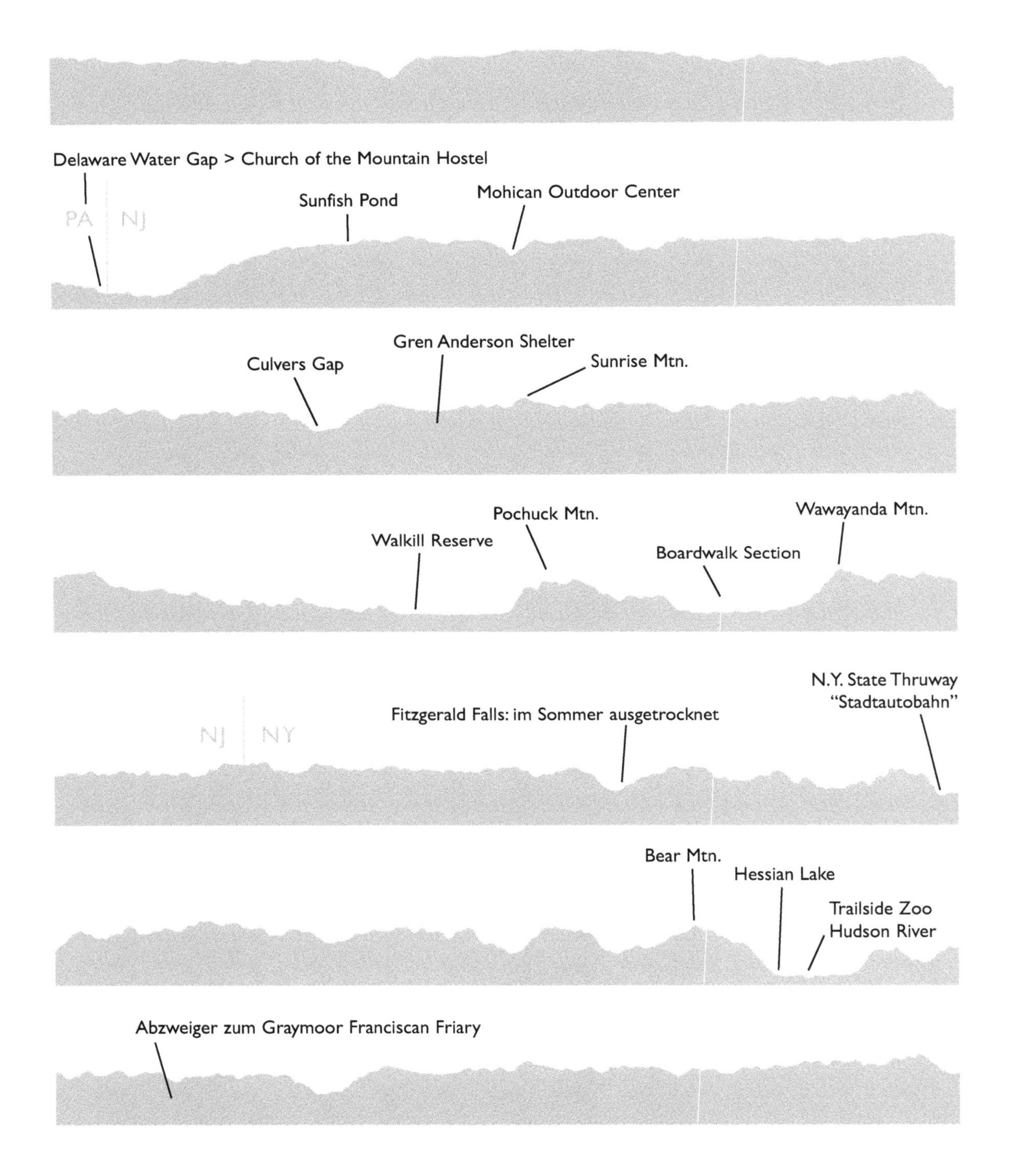
Delaware Water Gap > Church of the Mountain Hostel
PA
NJ
Sunfish Pond
Mohican Outdoor Center
Gren Anderson Shelter
Culvers Gap
Sunrise Mtn.
Pochuck Mtn.
Wawayanda Mtn.
Walkill Reserve
Boardwalk Section
N.Y. State Thruway
"Stadtautobahn"
Fitzgerald Falls: im Sommer ausgetrocknet
NJ
NY
Bear Mtn.
Hessian Lake
Trailside Zoo
Hudson River
Abzweiger zum Graymoor Franciscan Friary

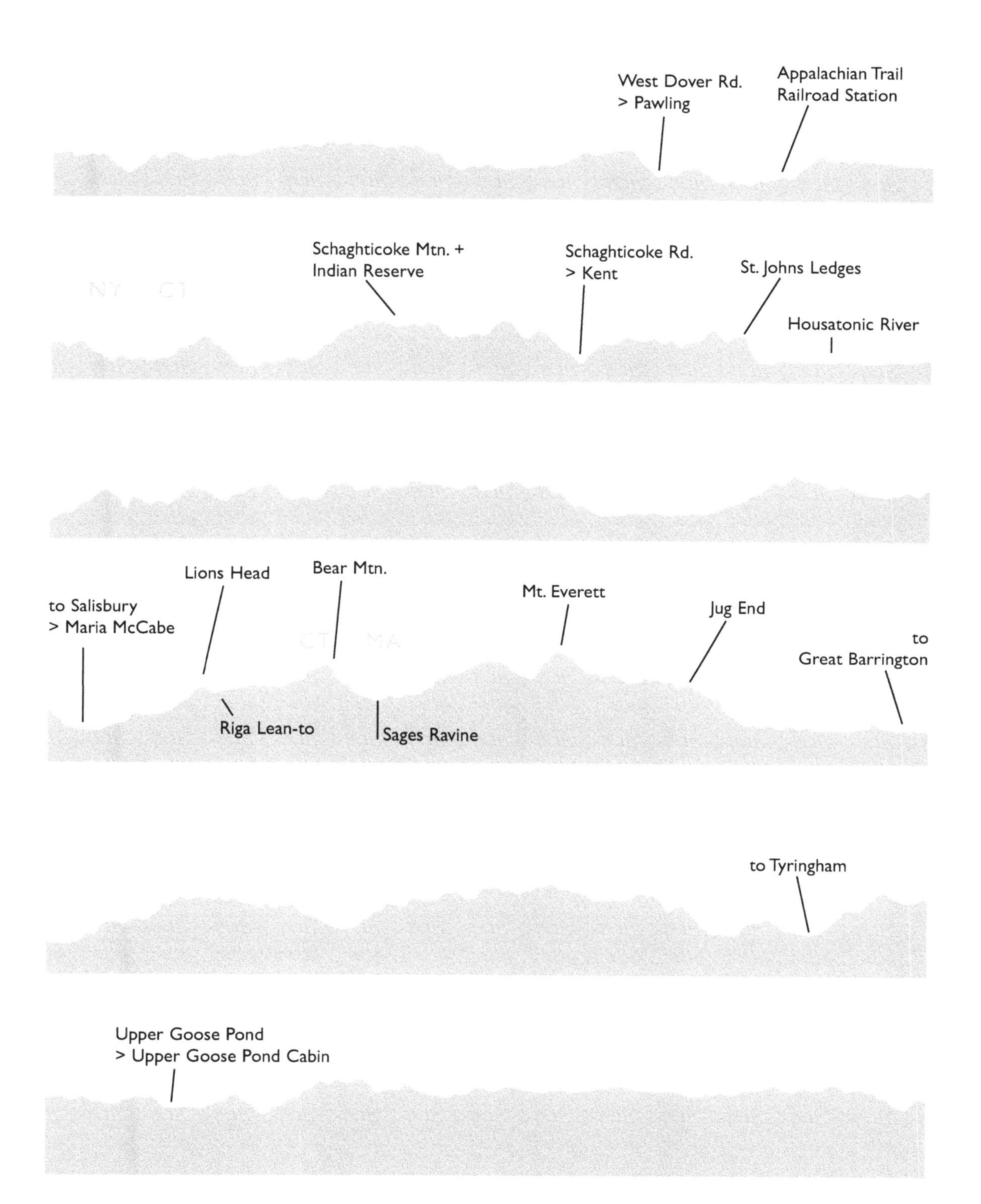
West Dover Rd.
> Pawling
Appalachian Trail
Railroad Station
Schaghticoke Mtn. +
Indian Reserve
NY CT
Schaghticoke Rd.
> Kent
St. Johns Ledges
Housatonic River
Lions Head
Bear Mtn.
to Salisbury
> Maria McCabe
CT MA
Mt. Everett
Jug End
to
Great Barrington
Riga Lean-to
Sages Ravine
to Tyringham
Upper Goose Pond
> Upper Goose Pond Cabin

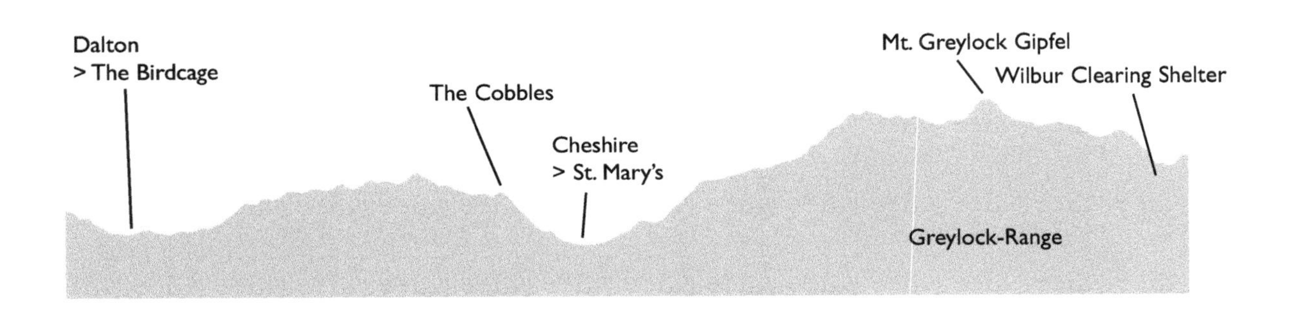
Dalton
> The Birdcage
The Cobbles
Cheshire
> St. Mary's
Mt. Greylock Gipfel
Wilbur Clearing Shelter
Greylock-Range

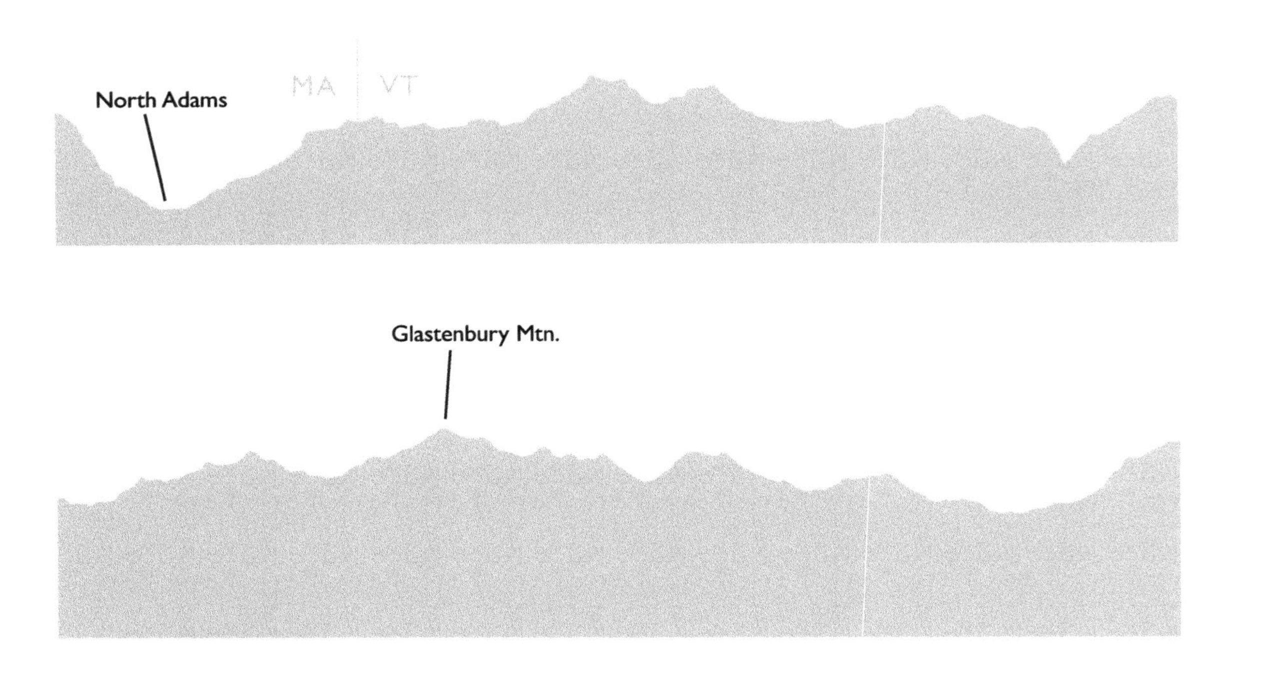
North Adams
MA
VT
Glastenbury Mtn.

Stratton Mtn.
Bromley Mtn.
> Ski Patrol Hut

Minerva Hinchey
Shelter

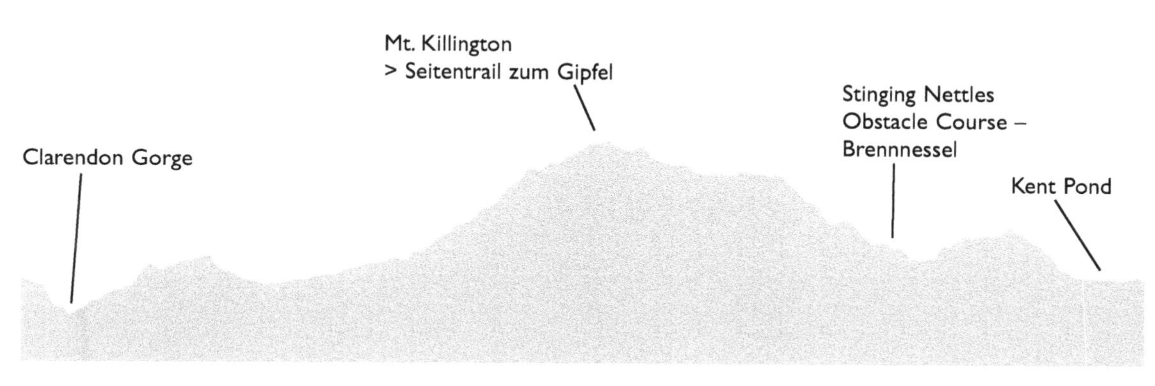
Mt. Killington
> Seitentrail zum Gipfel
Stinging Nettles
Obstacle Course –
Brennnessel
Clarendon Gorge
Kent Pond

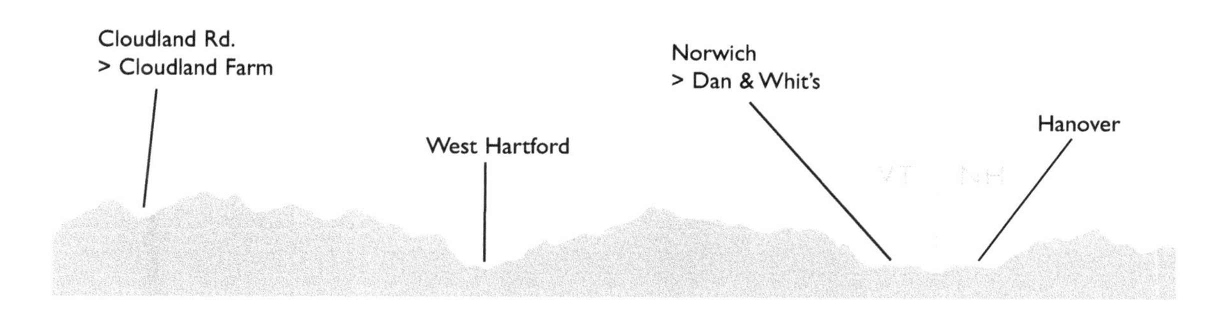
Cloudland Rd.
> Cloudland Farm
Norwich
> Dan & Whit's
Hanover
West Hartford
VT
NH

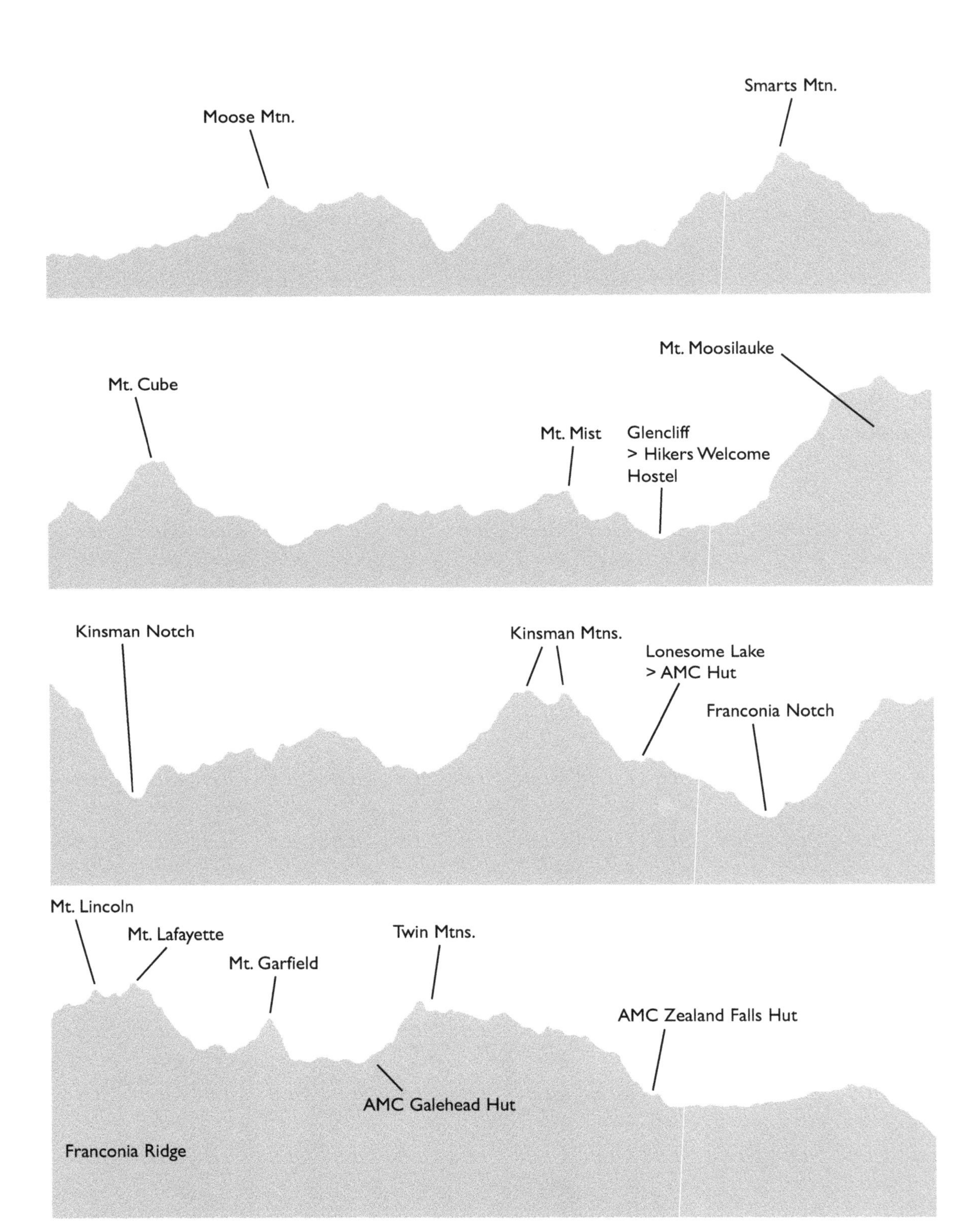

Smarts Mtn.
Moose Mtn.
Mt. Moosilauke
Mt. Cube
Mt. Mist
Glencliff
> Hikers Welcome
Hostel
Kinsman Notch
Kinsman Mtns.
Lonesome Lake
> AMC Hut
Franconia Notch
Mt. Lincoln
Mt. Lafayette
Twin Mtns.
Mt. Garfield
AMC Zealand Falls Hut
AMC Galehead Hut
Franconia Ridge

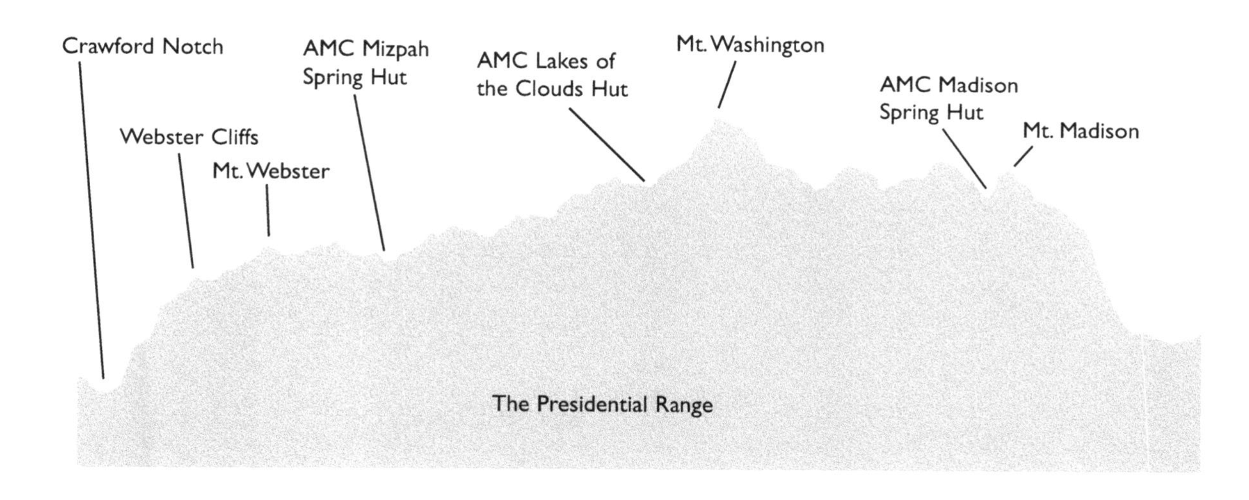
Crawford Notch
Webster Cliffs
Mt. Webster
AMC Mizpah Spring Hut
AMC Lakes of the Clouds Hut
Mt. Washington
AMC Madison Spring Hut
Mt. Madison
The Presidential Range

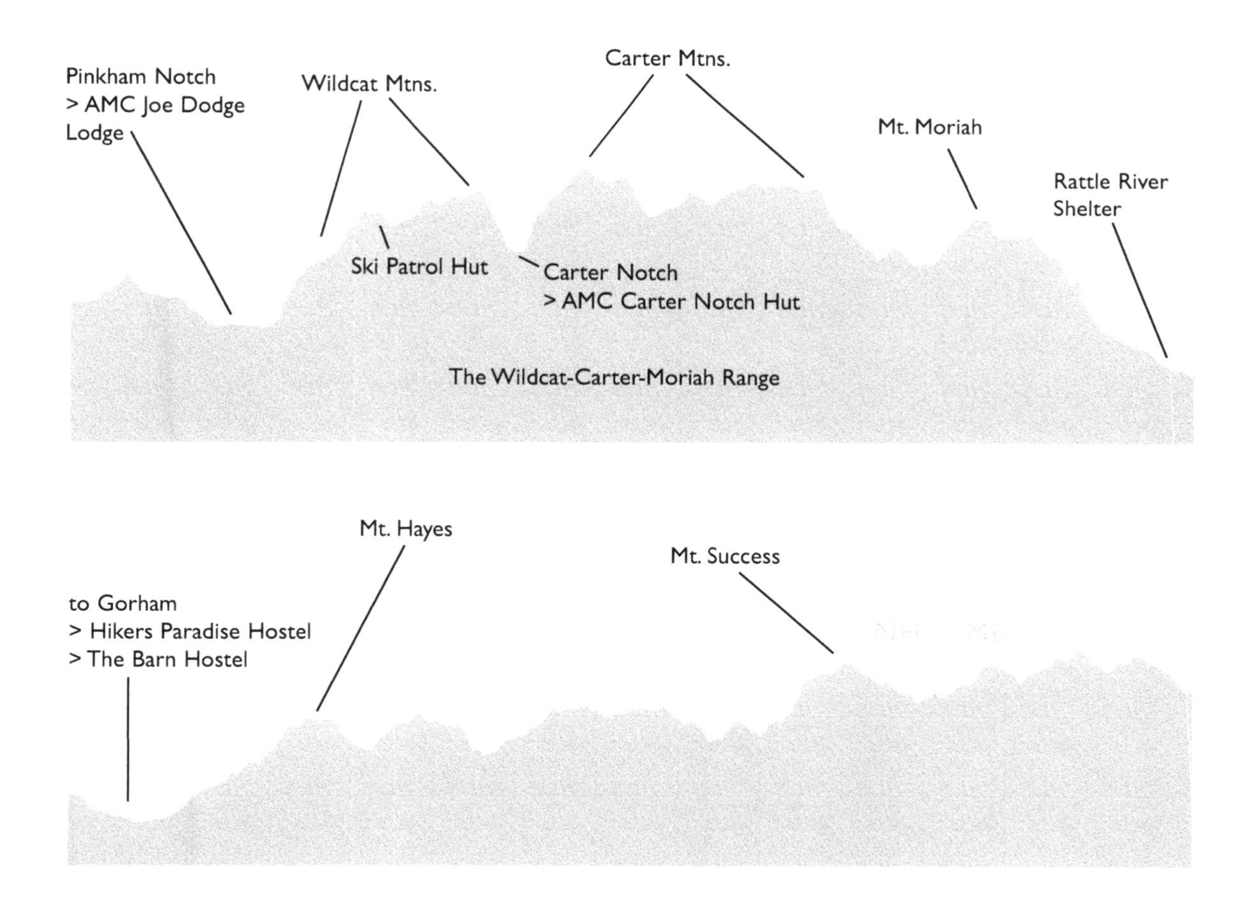
Pinkham Notch
> AMC Joe Dodge Lodge
Wildcat Mtns.
Ski Patrol Hut
Carter Mtns.
Carter Notch
> AMC Carter Notch Hut
Mt. Moriah
Rattle River Shelter
The Wildcat-Carter-Moriah Range
to Gorham
> Hikers Paradise Hostel
> The Barn Hostel
Mt. Hayes
Mt. Success

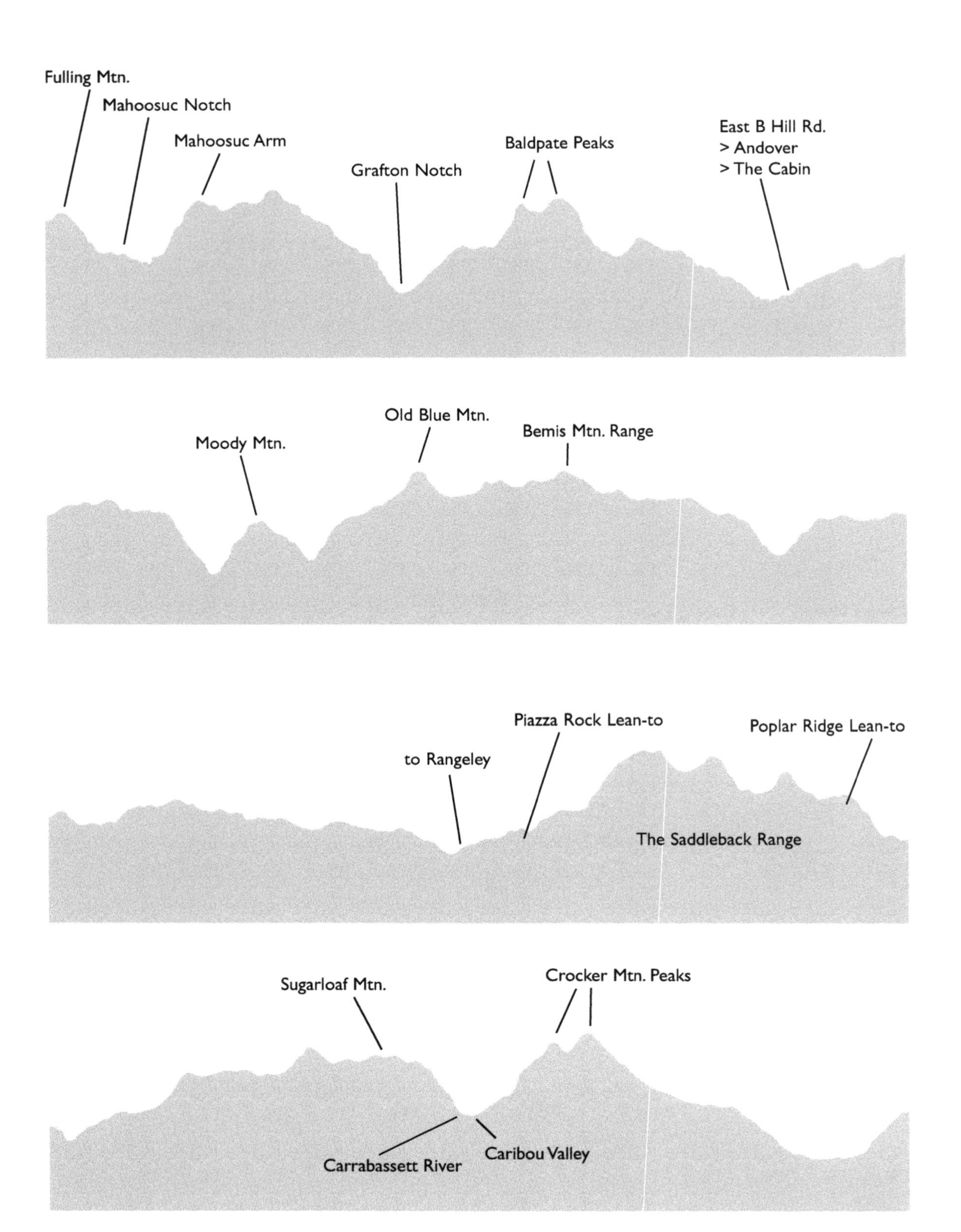

Fulling Mtn.
Mahoosuc Notch
Mahoosuc Arm
Grafton Notch
Baldpate Peaks
East B Hill Rd.
> Andover
> The Cabin
Old Blue Mtn.
Moody Mtn.
Bemis Mtn. Range
Piazza Rock Lean-to
Poplar Ridge Lean-to
to Rangeley
The Saddleback Range
Sugarloaf Mtn.
Crocker Mtn. Peaks
Carrabassett River
Caribou Valley

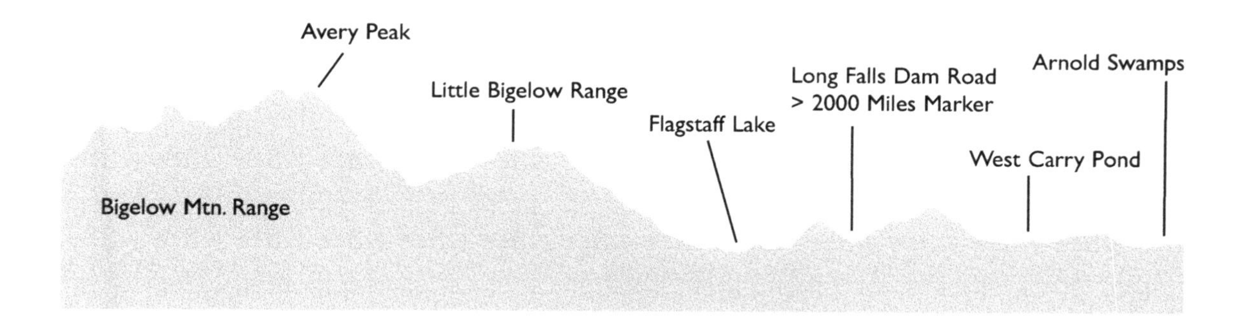
Avery Peak
Little Bigelow Range
Flagstaff Lake
Long Falls Dam Road
> 2000 Miles Marker
Arnold Swamps
West Carry Pond
Bigelow Mtn. Range

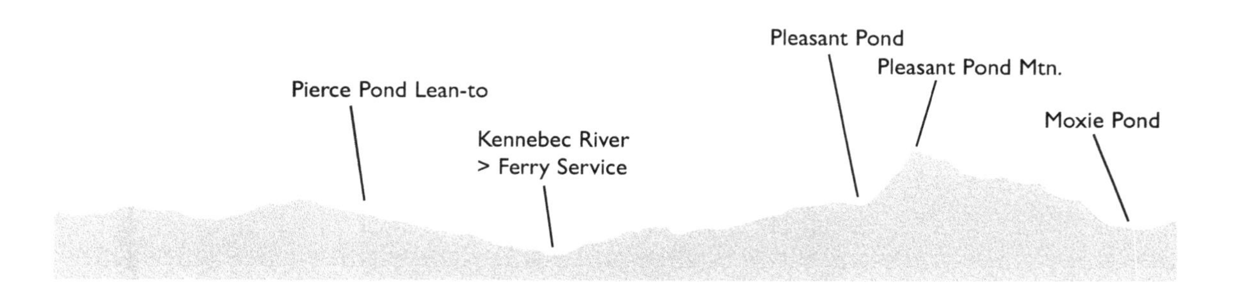
Pleasant Pond
Pleasant Pond Mtn.
Pierce Pond Lean-to
Moxie Pond
Kennebec River
> Ferry Service

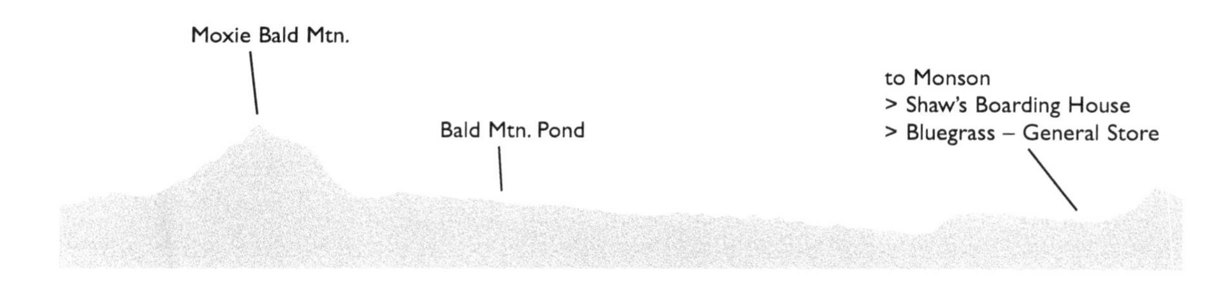
Moxie Bald Mtn.
to Monson
> Shaw's Boarding House
> Bluegrass – General Store
Bald Mtn. Pond

Highway ME 15
Barren Mtn.
Hundred Mile Wilderness ———>

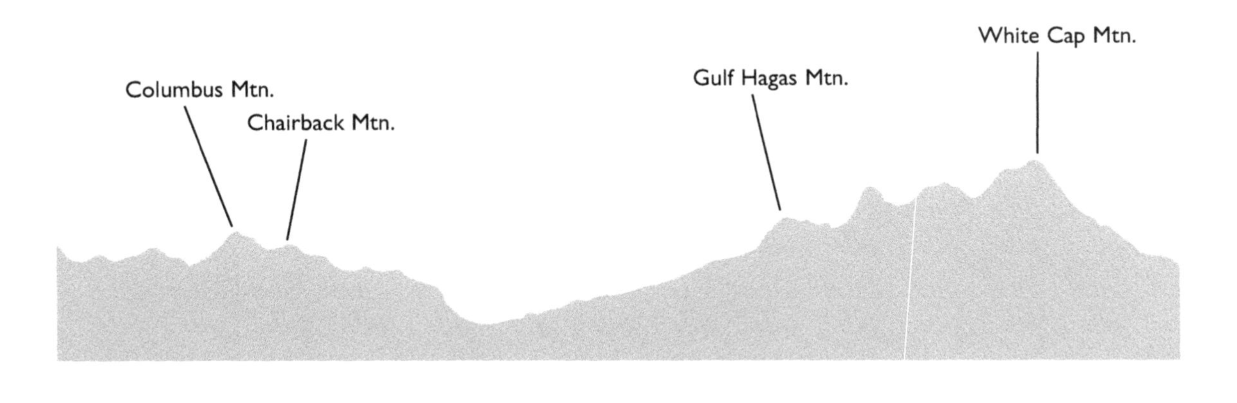
White Cap Mtn.
Columbus Mtn.
Gulf Hagas Mtn.
Chairback Mtn.

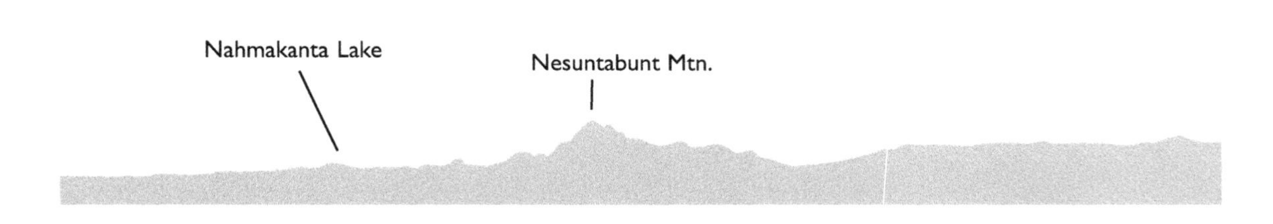

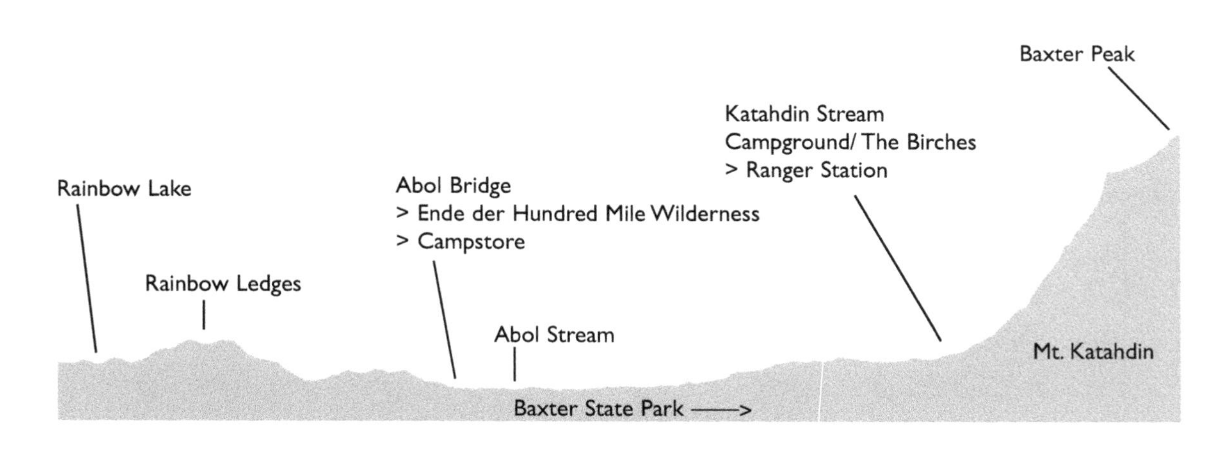
Nahmakanta Lake
Nesuntabunt Mtn.
Baxter Peak
Katahdin Stream
Campground/ The Birches
> Ranger Station
Rainbow Lake
Abol Bridge
> Ende der Hundred Mile Wilderness
> Campstore
Rainbow Ledges
Abol Stream
Mt. Katahdin
Baxter State Park ——>

KATAHDIN
NORTHERN TERMINUS OF THE
APPALACHIAN TRAIL
BAXTER·STATE·PARK
MAINE

Next to the White Blaze – Columns on the Appalachian Trail

Die folgenden Kolumnen sind eine Auswahl an Texten, die ich während meines Southbound Thru-hikes geschrieben und online gestellt habe, wenn ich bei einer Stadt- oder Hosteleinkehr an einen Computer mit Internet kam. Sie behandeln typische Themen oder Einzelaspekte auf und neben dem Appalachian Trail.
Einiges davon ist stellenweise in beide Buchteile eingeflossen, wobei mir aber aufgefallen ist, dass das Ganze in deutscher Sprache nicht denselben 'spirit' hat wie im englischen Original, was ein echtes Ding ist, denn ich habe diese Texte schließlich selbst verfasst und dürfte doch eigentlich keine Probleme damit haben, alles ins Deutsche zu übersetzen, zumal ich ja weiß, wie diese Kolumnen aussehen sollten.
Das ist ein echtes Novum an Spracherfahrung, wie ich sie noch nie vorher erlebt habe.

Beim Verfassen dieser Kolumnen habe ich schnell bemerkt, dass ich wohl eher nicht der Typ für online blogs und dergleichen bin, wenn ich eine Weitwanderung mache, weil so etwas einfach zu stressig ist.
Am Wandertag selbst hätte ich sowieso keine Energie mehr dafür gehabt; da war ich froh, wenn ich im Camp meine Aufgaben erledigt hatte und die Beine hochlegen konnte. In den Städten und Hostels, wo ich diese Texte verfasst habe, geschah dies unter großem Zeitdruck, denn üblicherweise hat man eine Stunde freien Internetzugang in den Bibliotheken; es warten schließlich auch andere Leute, die gerne das Internet nutzen möchten. So sind die Regeln. Nur, wenn kein Betrieb ist, kann man etwas mehr Zeit herausschinden.
Nun ist man als Thru-hiker in einer Stadt ohnehin nicht rein zur Erholung, sondern hat eine ganze Reihe von Dingen zu erledigen, plus Internet, wo es ja auch darum geht, seine E-Mails zu sichten, die Leute zuhause mit 'Hallo – ich lebe noch!' und dergleichen zu beruhigen; außerdem Mails zu beantworten; ja, und dazu kamen noch diese Kolumnen, die ich unter Zeitdruck vor der Tastatur sitzend geschrieben habe, zwar manchmal mit einem Grundgedanken an ein Zitat angelehnt, das ich mir vorher notiert hatte, doch der eigentliche Text entstand jeweils am Computer und darauf achtend, nicht zu sehr zu übeziehen. Und das war Stress.
Deshalb möchte ich solche Aktionen künftig nicht mehr machen.
Wenn ich weitwandere, sind blogs oder online Tagebücher für mich nicht das Wahre.

Ten AT-Commandments, or: side-effects of thruhiking

Okay – you know already that you have to be brave when considering a truhike. You might have read or heard about weather, trail-conditions, bugs, all the wear & tear and other unenjoyable stuff. Well, there's some more to discover – in ten neat commandments. Enjoy, and remember, when on the trail: this stuff is bound to happen!

FIRST: THOU SHALT LOOSE WEIGHT. Yeah, alright, you knew that already, I know, but did you also know that this weight-loss might reach a point where you look down at yourself and start thinking in earnest you are about to develop into some overdrawn cartoon-character? By the time I hiked through New York, I suddenly noticed that my thighs seemed to have a smaller circumference than my calves! I mean, how awful is that? Just imagine, some fine day après-hiking, you go buying a pair of new pants, and instead of having fitting-problems around thighs, waist or hips (the usual culprits, when pants won't fit), you actually would fit in these regions perfectly, if only the section where your calves are awfully stuck now was a size bigger? – Well?

SECOND: THOU SHALT HAVE 'flat-tyre-syndrome'. The real mean thing with this is: this happens gradually, without you noticing at first. And when you finally notice, you are already flattened out considerably in your head-section. This thruhiking is physically so strenuous that you start forgetting things easily, like, which shelter you have spent the last night, as soon as you leave it. I can not say how often I met people on the trail, asking me about the shelter I have been in and all I could say was: *"Uh, the last one, you know ..."*. I couldn't keep names in my memory anymore – to remember trailnames of hikers I met later in my thruhike, I had to give some real effort in learning these names by heart, as if learning some foreign language vocabulary. That was very unsettling – I wondered already nervously, whether I had gotten some 'upper-floor'-damage which would stay for good ...

THIRD: THOU SHALT HAVE SWOLLEN FEET. Also this, you might have heard already. It's not so much the swelling I did mind about this side-effect, but that my feet would feel like one formless meatclump, numb as if they were under anaesthesia – the same kind you get when having some serious stuff done at the dentist's. Be prepared, that the swelling will take four to six weeks after having completed a thruhike to eventually go away. So do not throw out your shoes, thinking your feet may have gotten bigger for good. On the other hand, don't buy too many new shoes, or you will have slippers – in the true sense of the term.

FOURTH: THOU SHALT HAVE 'hiker-wobble'. This also develops gradually over time. When sitting for a while, or, a very good situation for this - in the early morning, right after crawling out of my sleeping-bag, I had trouble getting up and start walking properly. I would

have some sort of sailor's gait, only, that I wasn't moving on a ship, but around a shelter, or camp-site. The awkward sensation is this, that all your bones and muscles seem to have stiffened completely, the joints seem to be bonedry: you simply cannot walk at once. Now the problem with this in the morning was, of course, that my digestive-system worked reliably well, which meant, as soon as I woke up I had had only minutes to get to the privy or ... (I definitely didn't want to wait for finding out what 'or' exactly meant; just the feeling in my bowels was threatening enough to get me on my legs quickly) – so, one day in New Hampshire, I actually had to grab my hiking-poles and use them like crutches, because otherwise I wouldn't have made it to that throne in time. Oh, and you will HATE privies and water-sources which are located downhill, when your 'hiker-wobble' has fully developed. So better get all your water the night before – don't even think about getting down there the next morning, or you will repent this with every single step downhill ...
FIFTH: THOU SHALT REEK LIKE HOG. You will sweat, of course, and stink. But here's the thing: never before did you reach such an excessive 'perfume' in your entire life. Be prepared for that. When I would get a whiff of myself, every time perplexed anew, I would ask myself how I possibly could smell this wicked. My odour would reach dimensions I did not even know I was capable of producing! – Extraordinary! A trail-classic here are hikerboots, especially, when they got soaken wet and had to 'dry' over days while you were hiking in them. Every time, when getting out of them, I actually expected birds dropping down dead from the trees above, on account of these super-toxic clouds which would rise from these boots ...
SIXTH: THOU SHALT HAVE PIMPLES. Pimples? Yep, but not where you would assume to get them, even though you might get some there, if you happen to be one truly unlucky hiker. I am rather talking about your ... derrière – your butt. When thruhiking, you will experience a pimple-situation you probably didn't even have to go through as a teenager. How to describe this? Now if you have one pimple, or three, you could say, your skin has pimples.
To describe the situation on your 'truhiker-seat' accordingly, you would have to say, your pimples have skin. It's a plantation with numbers unheard of – therefore, make sure to have lots of this body-powder handy, and don't even think about hot nights in town ...
SEVENTH: THOU SHALT HAVE 'hiker-tan'. A tan is always nice: it looks so much like vacation and being healthy and all, or so we think ... – unfortunately, 'hiker-tan' is only a partial, and therefore not so flattering type of body-tan: namely from the sockline upwards to shorts, kilts or whatever you will be wearing. Ladies will have tanned face and arms en plus; while the gents, if they are really brave, will sport this typical shoulderstrap-design on their naked uppertorsos. In town, even when not wearing hiker-clothes, this whitish sockline-to-toes will be your membership-card to the thruhiking-community. You can't be missed with that, so, when wearing flip-flops you can't help but looking funny.

EIGHTH: THOU SHALT HAVE MUSCLE-CRAMPS. A dream! In the middle of the night, you are all warm & toasty, deeply asleep - maybe even for the first time after a number of nights with sleep-depriving snore-terrorism - and bang! Your leg-muscles suddenly decide to cramp. They decide to do this so viciously that you sit upright in a second, fully awake, to frantically massage your legs. Oh, bummer ...!
NINTH: THOU SHALT HAVE FOUL TEMPERS. – Uhoh! This is actually why I was deeply relieved when the trail got emptier after a couple of weeks, since I couldn't get caught in the act so easily any more. You simply come into some situations where you get angry and need to vent off a little bit of steam. Be it because the mood was already foul when getting up; be it because gear drives one crazy – whatever; it just happens. And nothing is even worse, than, when right at the brink of "YOU-SON-OF-A....!", there is a hiker in front of, or behind you ... I had this in the beginning quite often, that ALWAYS, when all I wanted was just to 'get out of my skin entirely' as we express this in German, there would this hiker be around, giving me that saucer-eyed stare – and the thing here was: this hiker normally would hike hills (– hills?... – entire mountains!) ahead of me; but EVERYTIME when I was extracrappy I would have this guy in ear- and eyeshot, so the inevitable happened, of course, that he caught me redhanded. Super embarrassing!
TENTH: THOU SHALT HAVE TARTAR. That reminds me that I still have to see my dentist ... – Actually, this is so gross under normal circumstances, but, on the AT, you have no normal circumstances anymore; it's different. Some rare hikers, though, stay disciplined enough to keep up brushing their teeth regularly – I even watched a guy using detal-floss. Well, I wasn't among these disciplined people, therefore, after days of having just chewed chewing-gum for sloppy oral hygiene, I experienced this sensation as if I was collecting tartar on my tongue already. That was the limit. When this sensation kicked in, I got my toothbrush out of my pack and had a brushing-session quickly.

Sauna-joys, or: The Third 'Man' in the cabin ...

Back home, I am having a Sauna-day regularly once a week. Sweating out old crap which clogs up your body, getting a fresh boost for skin and immune-system, plus relaxing muscles – a real treat! I knew already that this would be a bit difficult to maintain, once I would be out hiking the AT, since no trailguide listed any such facilities along the trail. But, do not despair! – there actually is a possibility to enjoy such a treatment at least once: at Rusty's ..! Exactly!
By the time I hiked through the Priest-Wilderness in Virginia, I was drooling already for want

of a 100° Celsius sweating-cabin. Good luck had it that I met another hiker who is a regular Sauna-guest back home himself, so both of us were already hoping hard to get Rusty's permission to use his cabin. We arrived there, Rusty did not mind and explained how to deal with the oven, so a couple of hours later, it had started to get dark outside, we finally sat on our towels in this cabin, beginning to sweat and relax. Life was good, what a treat, – ahhh ...! Even the oven had started to heat up from what I would describe as Bio-Sauna-level (about 50° Celsius) to a mere Finnish-Sauna-level (roasting), when, suddenly there was a scratching noise. Outside, it seemed to me. As if some animal had brushed against the cabin. I have to explain now that this cabin is a good distance away from the other buildings of Rusty's farm, located downhill on his huge property. I wondered already, why that hiker who had joined me seemed to get all uneasy when hearing this noise. What I did not know then, though, was that Rusty had told the hiker we should be careful when leaving the cabin in the dark since there was a blackbear trespassing this part of his property every now and then, not that we run right into the animal. The hiker immedeately thought a bear was outside the cabin and got all nervous, when that noise came again – only this time very audibly from inside! Now this got exciting – I wanted to check out what that was. Since there is no light in this cabin I had come down there with my headlamp. Only, the batteries in that lamp were not the most powerful ones anymore, so when I pointed it to the left corner above the door-frame from where that noise had come, I could not see too well. In this cabin, there is some sort of a wide overhead-shelf reaching from above the door right to the other wall. At this corner to the left, from where the scratching noise had come, there was a hole. That was where I could make out some blackish shadow moving at the other side of the hole. My first thought was: a mouse, ah well ... – then, before I even had finished this thought, since I still could see something moving, I thought again, now this in one slow mouse ... – how much time does it need to cross this hole anyway ...?, when, out of this hole, the head of a snake materialized, starting to let himself down slowly along the lefthand side of the wooden doorframe! – SNAKE! *Sweet Jesus!* We gasped. I heard my Sauna-companion telling me to hold my lamp a little bit closer to the snake so we could try to figure out whether it was a poisonous one or not, at the same time instructing me to be careful, not that it turned out to be a moccassin (*– a moccassin!*), they are said to be viciously poisonous (!), when all I knew right away was: *NO WAY! – not ONE millimeter*, you bet!! I could see us already helplessly condemned to either roast to our certain deaths in this cabin, or get bitten by some deadly snake, when trying to escape through the only exit which was blocked by exactly that snake ... Oh man, what a misery! Meanwhile this snake didn't seem to have a tail – still letting himself down along the doorframe in unnerving snailspeed which seemed to take FOREVER, eventually touching the floor with his head, where - Thank God! - there was another hole, big enough to slide in.

When the head had vanished in there, the end of the tail eventually materialized through the hole above. Halfway down, with a plop-sound, the remaining rest of this snake's body dropped to the floor, to noiselessly vanish through the hole about a minute later. Now that was one long fella ..! I am 5'5" tall, this overhead-board in the cabin was at least about 5'9" above the floor. – I didn't think about this in the very moment, when the snake had just vanished, of course. Actually, both of us certainly didn't need a second invitation – we bolted out of the cabin as if the devil was after us, running uphill back to the main-buildings in olympic speed.
We definitely had had it for the evening; no more Sauna! Rusty almost laughed himself lifeless when he learned this story. He apologized for having forgotten to tell us – this snake is kind of a regular Saunacabin-guest, he lived there from day one when Rusty had built the hut. We learned that this snake was a black-snake, and even though we failed to identify him in the cabin (hyperventilating+heat+crappy headlamp-batteries), of all the snakes which live in the Appalachians, Rusty explained to us, there are only black-snakes capable of climbing up and down perpendicular surfaces. Now what would I have given for this piece of information back there in the cabin!

Privy-business, or: "s..t happens" in the wilderness ...

Okay, today's dish, as you might have guessed already, is the thruhiker's experience of privy-business on the AT. Let's start with the privies themselves: there are some of the most extraordinary outhouses on the AT you have ever seen in your life! Four out of my personal top-ten are these:
Ranking number four: Piazza Rock Lean-to, Maine – the "Your Move" privy. Nice building, very generous with enough space to really relax and do the deed – provided, you want to have a companion sitting right next to you, doing exactly the same while you are busy yourself. This privy has a double-seater for two people in need. To quench any boredom while sitting there, right in between the two seats there is a little wooden game you could play with your privy-companion. Neat!
Ranking number three: privy at Trimpi-Shelter, Virginia. The blue-blaze to this well-aired outhouse ends in front of a single wooden paravent, some two meters by four meters tall, behind which, on a spacious wooden platform, you find the 'throne', open-air with no side-walls around it! I am not even thinking of nasty weather here – just imagine doing your private business in the dark, when there are constantly noises behind your back. How are you supposed to concentrate on your 'stuff' if you constantly have to check what's going on behind you?

Believe me, I know – I was there in the dark, already thinking about bringing my tent along ...
Ranking number two: privy at Moose Mountain Shelter, New Hampshire. This is a throne in the very sense of the word! Ascending some wooden steps, up to a square wooden platform, the hiker can sit down royally even on a toiletseat. The four corners of the wooden platform have pillars each (tree-stems), which carry a roof. No side-walls, no door: a real 'sit free or die'- privy, a term every NoBo-thruhiker will have come upon at this point already, since there is a poster in a privy in Connecticut, showing New Hampshire types of outhouses. The blue-blaze to Moose Mountain shelter privy leads downhill, which means that throne-users will be spotted from way above already before they even have a chance to see that somebody is coming. That's *exactly* what you need to know while stressfully pressing out a load ...
Ranking number one, the top-privy so far: privy at Wawayanda Shelter, New Jersey. That absolutely is THE experience on the entire AT! The generously laid-out place is comfortably close to shelter, bearboxes and tenting-area – only a couple of steps away. Hikers with dead feet just love such treats! In principle, we have a similar design like what I described at the Trimpi outhouse, only, without wooden platform and without paravent. Basically, you find a single toiletseat on a wooden box-structure, sitting right in best view of tentingarea-users, sporting a little piece of a low fence in front of it, which actually does reveal more than it hides. One could say, privy-users (showy-users?) here enjoy having a plain view on everything and vice-versa. You rather use a plug instead, or go only in the middle of the night.

Now what is even worse than 'showies' on the trail? Exactly, no privy at all! So let's never forget to be grateful for what we have when we have it. Sir Privywinks, NoBo, class of 2007, coined this phrase while hiking through NC/TN: "*They don't believe in privies here, so you have to do a lot of brown-blazing.*" This comes very true while hiking through the Smokies, where every hiker will sooner or later have to face the so-called 'privy-areas'. An adventurous experience! Don't ever go there with camp-shoes since these areas seldomly are flat but rather sloped, so you will need some good footing there. You will especially need this good footing there because your trip to these areas is some kind of a poop-obstacle-course. Watching out for toiletpaper can be helpful in avoiding close encounters, but do expect the worst since turds have a special talent for materializing under your feet without TP-forewarning as well. If you need to go there in the dark better ask for an additional headlamp. There is this wonderful saying you English native-speakers have: "S**t happens!" - this is just so true - no more so than on a thruhike on the AT! By the time a hiker reaches Katahdin, or, for SoBos Springer Mountain, next to the miles accumulated, also 'private-business-stories' will have reached a good number. You might cling on for dear life at Rhododendronbush-stems in the South on extremely steep slopes, because not the tiniest bit of a flat 'place behind a bush' was available when serious bowel-movements urged you to be very quick now (North Carolina); you might hike through vicious oceans of stinging nettles with two knots in your legs already, only to find out at a shelter-site that now, from all the green threat, you've lost the mood for a relaxed 'privy-session' entirely and have indigestion instead (New Jersey), and, you might even come along this privy at Poplar Ridge Lean-to in Maine. Castanets, another NoBo, class of 2007, reported dryly after coming back from a session: "*This privy is to be avoided by all means. It has no seat, so everybody who has peed in there for the last four years, has created that ring around the seathole. But there's also one good thing about this privy: you have splendid cell-phone reception in there - especially, if you prop open the door with this log leaning next to it.*" – That's the spirit! Always look at the bright side!

Gassy hikers

Topic of the day: trail-flatulence. What can I say – I was not even three days out hiking, when my bowels switched into "thruhiker-business", which means, not only the clunking sound of hiking poles, not only the stomping of hiking boots would be heard on the trail, but also a regular symphony of butt bombs ... As long as you are alone, you don't care. No other human earwitnesses around, so what the heck – let'em fly, right? The problem is, every once in a while you eventually get among other people; if not at shelter sites, so at least in town. And there the problem starts. Having felt relaxedly free to pass sphincter-melodies while out in the woods, you discover that in towns it takes quite some serious effort to pull yourself together. Hikerfoods are not a good help here, either, since they even promote increased gassyness in your bowels. This makes it quite an accomplishment, to really 'behave' under such circumstances! I will never forget how I hiked into Dalton, MA, last year, where I passed a Cumberland Farm gas-station. Of course I went inside and got me bananas, a pint of fresh milk and a pint of Ben&Jerry's – the ultimate 'fart-combination' for my bowels when out long distance hiking. Little did I know that the AT would still go for almost two miles through a lovely neighbourhood of this town. As it was a bright, warm Sunday afternoon, the people of this lovely neighbourhood were outside, mowing their frontyard lawns, getting their flowerbeds done, washing their cars or playing with their kids – in short: every couple of meters there was somebody in good earshot away from me, who, at this very moment, had a walk of hell through this seemingly neverending oh so lovely neighbourhood, sweating over not to let anything pass under no circumstances while these people were close. I thought I would bust. Just making one loud big bang, and these people would nod knowingly to each other – another hiker who tried too hard not to fart while passing through our neighbourhood! " – *That makes them ten already for this season. Hey, Chuck, you owe me a tenner. I told you, this one wouldn't make it back into the woods!"*

Vermont-Impressions II

The other day, I noticed a logo-signet, a sign for maple syrup on a store. This sign primarily has been designed to transport the message that Vermont made maple syrup was available here. There was another message, this sign transported on top, though – and for me, it did so even more overtly than the other 'official' way.

That sign showed an outline of the state of Vermont. About two thirds from the bottom to Vermont's left side protruded a nozzle in 90 degree angle with one drop dripping down at it's end. Underneath VT-shape plus nozzle plus single drop was a bucket to be seen. Clearly a sugarbush image: Vermont being the mapletree etc.

But: imagine the outline of Vermont plus nozzle plus bucket. The state's outline shape has already a striking similarity with a guy's under-the-belt-line in profile. Now in combination with that nozzle at the exact right spot plus the bucket underneath, I really wonder how one could NOT see what I saw at the very first glance when noticing that sign.

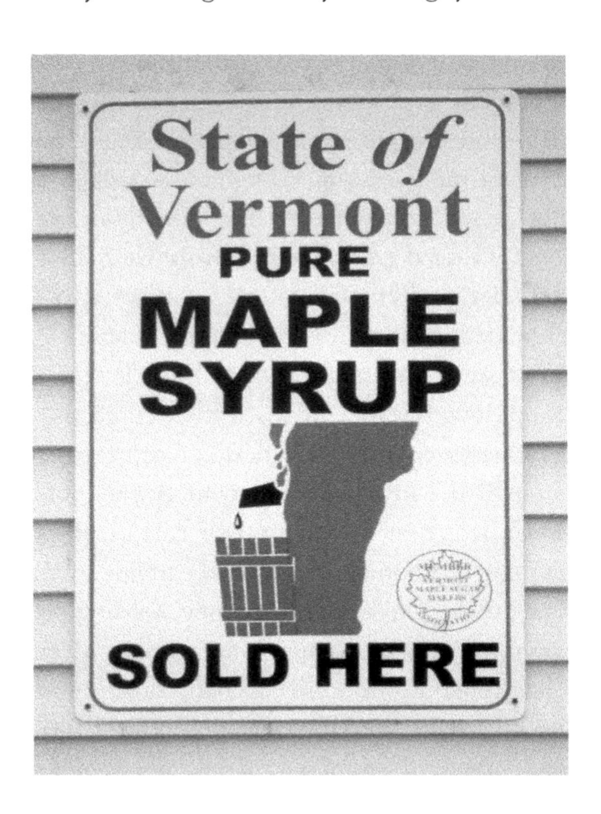

That sign could unmistakenly serve for a men's washroom, since it very graphically looks like the lower section of a guy about to pee into a bucket!

I really couldn't help but burst out laughing when I saw that sign. This is just so extraordinary, I almost don't know what to say!

This kept me busy thinking about it quite some time, since I really can't help the question whether this was a funny mishap or rather calculated purpose. Since I can not for the life of me imagine that a grown up, adult graphic designer would be as naive as not to see what kind of "double-whopper" he/she has created there, I really must assume that

that person did this on purpose. I bet this designer is now having a hell of a time every time he/she comes along that creation, laughing their socks off about this double-decker ...
At Minerva Hinchey Shelter, I met four local women from the Rutland area. Showing them the photo of that sign made them instantly break up with laughter – they saw exactly the same what I had seen. So, this can only mean that several people must have noticed the double-meaning already; possibly even having a good snicker themselves when passing.
– Now what does this tell us about Vermonters?
This tells us that Vermonters have a damn good & down-to-earth humour, God bless them! Cheers, guys! Luv' that state!

Hello, Massachusetts!

On July 8th, in the early morning hours, I hiked into my fourth state on the A.T. so far. Hello, Massachusetts! And hello mountainlaurel in full bloom! Oh, and hello, hello BLUEBERRY-patches!!! Hello, hello – uh ... *milestretchers ...???* – How could I only have forgotten about them?
Okay, here's a problem to solve: we have a mountain, let's call it Mount Greylock. We want to put a hikingtrail up to that mountain. So, how are we supposed to do this?
Common sense would ask for a continuous, ascending trail layout, as short as possible but also as convenient as possible; after all, we want to reach the top of said mountain without needing a lung-transplantation, right?
Now the reality which waits for the hapless hiker who wants to ascend Mount Greylock, coming from North Adams: stretches of almost perpendicular laid out trail on terrain, which, the profusely sweating and panting hiker is very capable of overseeing with growing dismay, would have been perfect to build nice switchbacks on – instead, we relive a Northbounder's experience of Mahoosuc Arm, Maine, in innocent looking Massachusetts, before finally coming to a friendlier designed trailsection.
Mountain-problem, part II. Now we are at the summit of the mountain and want to get down on the other side. Again, common sense now would suggest that a trail continuously leads DOWN in more or less convenient steepness, but doing so the shortest way possible, of course. Not so on Mt. Greylock. You need to hike eight miles in a seemingly neverending succession of little rollercoasters which also seem to lead the weary hiker several times around the summit before finally and eventually really letting the poor wretch descend into Cheshire on screaming knees and pounding feet.
Again, what a trail layout! All that has been spared out at the one side has generously been

overdone on the other side. I hiked into Cheshire almost on all fours. Was I ever glad to be down from a mountain! – Hallelujah!

Half-gallon icecream challenge and other tidbits....

I have some news! The miles to Springer get down now, which is very exiting considered the fact that I am only two months and a week on the trail. At the ATC headquarters in Harpers Ferry, I am the fifth Southbounder of this year, but there is a very athletic young hiker from Kentucky who just keeps flying along the trail; so, he will pass me soon, which is okay, since he definitely has the legs for it. I am officially a member of the Appalachian Trail Conservancy now, a proud owner of an Osprey ariel 55 pack, and member number 283 of the half gallon club! Last year, I did not make it even halfway through the challenge – of all flavours I could have picked, I choose Moosetracks! Of course I failed: I felt heavily nauseated before I even had downed 1 1/2 pints of this rich icecream. So this year, I picked Green Mint Chocolatechip and a cold Coca Cola, and voilà – I made it! But at which price ... it is a huge amount of icecream, and you definitely are not supposed to eat this much at once. The thing is – you start out quite fast. It has a feeling to it like in these funny movies, preferably with John Candy, where absolutely untrained guys plan on doing a little outdoor adventure, say, a weekend hike with ambitious mileage plans, and you watch them starting off enthusiastically with energy and high spirits and way too overloaded packs. In the background, there is this lively polka-music which just enhances the situation, until, well, until the music slows down, and down and our heroes start going on all fours, sweating profusely and looking more and more miserable ... and that's exactly, how eating through a half gallon of icecream feels like. The first pint is fun – ahh, this is easy, you think, I will be done in a minute; c'mon, what's so tough about this, you think. Alright. Then comes the second pint and you feel your stomach widen a bit. You discreetly open the button on your waist for more breathing freedom and slide a little down the seat of your chair. After the second pint, you start feeling full. So full actually, that under normal conditions you would now put that container back into your freezer. Only, there, at Pine Grove Furnace State Park, there is none, and you know this. Oookay ... pause. And another big pause. People who chat with you are very welcome – maybe you can digest in the meantime. You eat another spoon, the music goes slower and slower, and another spoon – your buttons start flying off the shirt like little missiles, even though you do not even have any there. This is the part when the Coke comes into play. A sip or two will help to burp, so you can have room for another two spoons of your half gallon. And like this you slowly eat yourself through, very brave and swearing to never touch this flavour any time soon again. Well, the Coke helped here a good deal and this is a trick I learned from Lakewood, who got his stomach back to working when he did his half gallon last year. With my hard earned spoon I literally rolled over to Ironmaster's Mansion hostel, avoiding to look at all the happy people who passed me with ice cream cones in their hands since the sight of any ice cream alone gave me a nausea-push in my stomach. Three hours later I was feeling much better again. And now I am very proud. It is a foolish thing, I know, but hey, it's also big fun! So don't miss out!

Widlife, or - where's the candid camera, guys?

Okay ... – wildlife experiences on the Appalachian Trail spring into my mind. Seeing wildlife in their natural habitat in general is already a very thrilling part of being outdoors anywhere. As far as I am concerned, I really was so fortunate on both of my thruhikes to see just everything you could ever wish to see - bears (lots of them fascinating bruins!), moose, turtles, lynx (yes, I did see lynx! Cherry Gap Shelter area, TN! Two of them even!), coyotes (Rainbow Ledges in ME, last year), birds of all kinds, rattlers and other snakes, butterflies (oh my!), porcupines, skunks (and there IS a resident skunk up there at Blood Mtn Shelter, GA! He lives there – so count on him when you get there), diverse kinds of salamanders and lizards, a huge variety of insects, of course (of which those forever pooping gypsy moths, those gnats, horseflies, mosquitoes and no-see-ums range right at the bottom of my sympathy-list, I must say...), little crabs in streams, then all the squirrels, chipmunks and shelter-mice, raccoons, deer (including fawns and young bucks), even water turtles taking a sunbath (Wawayanda-area, NJ), frogs and toads, half-wild ponies of the Grayson Highlands, VA ... – and so many more I simply forgot to list here.
My focus today, though, is not to write about these encounters, even though they would fill pages quickly, since I am not used to see such an abundance of wildlife, coming from the Alps where you really must get up very early in the morning to head out on a trail if you want to have the slightest chance of spotting anything besides toads, insects and squirrels.
What I want to share with you now are the rather amusing and/or very unusual wildlife-encounters along the Appalachian Trail. The kind which almost made me turn around searching for a hidden camera out there in the bushes.
Hiking through the Smokies last year, I came along a section of the trail where spring-beauties were out everywhere, making the grassy slopes in this area look as if some fresh snowflakes had fallen onto the young green grass.

... oh boy – these ticks surely are darn thick on the trail this year!
'Zeckenkratzer' im Wildcat Shelter, New York

And right at the edge of the trail, there were lots of buzzing bumble-bees already very busy swarming out from flower-bulb to flower-bulb. One of these bumble-bees, a real chunky ol' sport, somehow didn't make it in time to get out of the flower-bulb he had been busy with. But seeing me approaching, in a futile attempt to fly away, the fella got in such a hasted hurry that he fell right out of that bulb, making a perfect back-plant on the trail, where he then frantically tried to turn around to his legs, buzzing since he couldn't use his wings, but wanting to get away A.S.A.P., of course!
And boy, did this bumble-bee roar off Nascar-like, when he finally had made it back onto his legs! I swear he left condensation-stripes in the air while taking off in something close to light-speed! This was such a moment to behold, I just couldn't help stopping in my tracks and having a good laugh. – What an experience!
Which reminds me of a shelter-log entry in New Jersey this year, where a NoBo-hiker had left a detailed list of wildlife-sightings, enumerating all the snakes, birds, bears and squirrels he had seen so far in this state vs. the ones in neighbouring Pennsylvania, and, at the end of his list – he added this unusual 'item': *"local fat guy named Vince"* ...
Until then I didn't realize that Vince-guys count as a species of wildlife in New Jersey – but what the heck; if you don't see anything at all, a Vince-guy will certainly do the trick. You just must have some ideas, right?
{Now one thought aside, here: I do not understand what the fuss is all about with New Jersey. This is a really beautiful state to hike through on the A.T., and the people I've met so far coming from this state were absolutely nice – so, why does everybody keep picking on that state?}
In Virginia, when hiking through the Grayson Highlands, which are roamed by almost wild li-

ving ponies, I couldn't help noticing these real huge piles of pony-dung along the trail. I mean, those were heaps as big as a pitcher's mound in a *Peanuts* baseball-cartoon, you know. Now these truly enormous mounds very obviously did not only puzzle me but also other hikers, and we even had the same suspicion about how they might have come to be – they really looked as if these ponies had gathered together, forming a circle with their backsides to have a good group-session of simultaneously dropping off a load on one spot here and there. How else could one explain these dung-hills?
A snake-encounter in the Pearisburg-area, VA, turned out to be a very interesting one. By that time, I've already seen many different kinds of snakes along the trail, so when I spotted this big blacksnake in trail-vicinity, I didn't jump anymore (– GASP! SNAKE!!), but calmly stopped in my tracks and pulled out my camera. When I bent down for a close-up, this snake lifted its tail and started to fake rattling! I immedeately stepped back, of course, eyeing that snake thoroughly, even inspecting its tail – but it positively, definitely was a black ratsnake. No rattler. No rattle on it's tail's end, either. But it could fake the rattling sound of a true rattlesnake!
Now that was really interesting, as it shows how animals exposed to other species very obviously might copy successful survival-strategies from each other. Or, as in this case – a warning-strategy.
Virginia definitely does have a rattle-snake population in her outdoors, along with blacksnakes, which, as I've been told, even go for rattlers. Well, there you go! I haven't watched such a behaviour on a blacksnake ever since again, so, what I experienced there last year must have been some extraordinary thing. Whatever - it did leave one heck of an impression with me. And I have some really good photos of that snake - the rattling blacksnake in Virginia.
Ah - and the mice, of course! I bet, there are as many amusing mice-stories as there are hikers out on the trails. In Vermont, I experienced this one: I had pitched my tent close to a shelter, when I got woken up in the middle of the night by some funny noises coming right from the outside of my tentwalls - as it turned out upon checking, mice were having the time of their life with repeatedly sliding down from my tent! They would climb back up, and then, with a jolly yehahhh-kazooom!-sound slide down again - or so, since I can't converse in mouse-language. I really had to knock against the fabric-walls from inside my tent to stop them in their tracks - but alas, only for a short while. Not even 15 minutes later, they were back again for a second nocturnal championship in tentwall-surfing; The Vermont Monsters leading in score, of course (- probably sponsored by Ben&Jerry's).
The following mouse-story comes from Thumper, a very nice and friendly NoBo thruhiker I met last year on the trail. He had hung his pack overnight in a shelter before retreating into his tent, when, the next morning, he suddenly realized that he had completely forgotten about two

snickers-bars sitting in the top compartment of his pack. Fearing the worst, that his pack might have dissolved into little confetti-sized shreds by now, the first thing he did that morning was rushing over to check out his pack. From outside it looked good. Upon opening the top-compartment, he found this: an empty snickers-bar wrapper inside, next to the other bar which was untouched. The mice had raided his pack in the night, had neatly removed one snickers-bar out of its wrapper and left back the trash in his pack! Like as if they wanted to give the message – Thanks for the treat, dude, but the trash you can keep to yourself. And don't even think about putting it anywhere in our shelter!
In Maine, between Monson and Moxie Bald Lean-To, I had an amusing moose-encounter last year. It was a rainy, misty late afternoon with heavy rainclouds pressing down from the darkened sky, when I pushed towards Monson (yeah, SHAW'S – you got me ..!), hiking through a dense stretch of brownish fir forest, which was even shadier under these weather conditions. There, the trail made a bend to the left, when I suddenly spotted the hind-side of a moose shortly ahead of me. It dreamily rested on one leg, almost leaning against a tree, absolutely oblivious to my approaching from behind. I actually came so close that I almost could have reached out to give it a light smack on it's butt with my hand – and there was the moment when it eventually got aware of my presence, suddenly alarmed and frantically bolted off right into the dense woods, loudly sending branches cracking and flying in all directions.
What I'm wondering about is this: how can they do this without injuring themselves? I mean, that moose nearly tripped over its own legs to get away, plus, this stretch of woods was densely grown fir trees, not an open, spacious decidous forest, where it could have moved more freely. This year, I did not manage to startle a moose out of it's dreamy late-afternoon-reverie, but a little, confused chipmunk, which headlessly sped off, smacking full force right against a tree-trunk in it's way. This even gave a very audible plop-sound, as that poor thing banged it's head on that tree big time. But nevertheless, that chipmunk's head seemed to be made of steel, and loosing no precious seconds at all, the little rodent quickly came back to it's legs and rushed off in another direction – this time without trying to blast a tunnel through a tree-trunk, though.

Nocturnal mayhem, or: I snore, therefore I am ...

This is really true. After completing my NoBo last year, when visiting family in Canada, I bought a travelguide for Europe only because it contains this following dedication: *"John Wesley Hardin was an outlaw, thief, and gunslinger in the American Old West. Whatever his other failings, Mr. Hardin performed one act which every budget traveler* [hiker – my addition] *has dreamed of doing: he shot a man for snoring too loudly.* [...] *In recognition of John Wesley Hardin's role as patron spirit of the snore-oppressed, this book* [column – again, my addition] *is dedicated to his memory."* (Louis CasaBianca) And there's another one I found. A law which brings us right back to AT-vicinity: A law in Dunn, North Carolina, actually prohibits snoring that disturbs one's neighbors. – Wow!

Now seriously, nocturnal mayhem in hostel-bunkrooms, shelters, even when tenting – I have seen, or, in this case: forcedly heard it all. I had had people tenting out in my vicinity who would look unsuspiciously like the most peaceful fellas, just to literally mow down entire woods during the night. So why did I haul around a tent on my pack again ...? – Ah, right, to get some undisturbed sleep – ... or so, I thought. Along the way, I therefore invested in several different brands of ear-plugs with high hopes, even combined them with bandannas – to no avail. It takes some time until you reach the point, when enough is enough. When I reached that point, I stroke back, by mercilessly waking the culprit up himself. Very simple: if I have to spend a restless night, the snorer will have to join me. Getting ripped out of sleep continuously is a torture I am by no means willing to accept by anybody. Who snores is the source of unnerving noises in an otherwise quiet night. Whether this person can control this activity or not is not an arguable point here, but this one is: the snoring person is responsible for waking up other people. Therefore it is the snorers who should be considerate here, by not expecting of other tired people to put up with their snoring in shelters or hostel-bunkrooms.

About another valiant hiker who would not put up with this, I actually heard in a shelter while hiking through the Smokies. At Davenport Shelter there were two hikers having the time of their lives remembering this hiker who experienced one harsh night where he repeatedly got woken up by one heavy snorer. When this finally had reached the point to where he wouldn't take it any longer, he woke that guy up and told him off. *"Sorry,"* responded the snorer, *"I can't do anything about it."* Said this hiker, quite dryly: *"Oh, actually, you can - get 'breathe-right-stripes' at the pharmacy!"* Both hikers (the ones talking about this incident) cracked up with laughter, since they knew that guy very well and added: *"You know, this just was typical for L. – Only a guy from New York could deliver such a thing!"* – Well, not only a hiker from New York, guys! Just watch out for sleep-deprived, determined Bavarian women ...

Blick von den Grayson Highlands auf die Morgennebel über den Tälern;
Virginia, September 2008

Anhang

I: Bibliographie, Dvds und Internet

1) Bibliographie zum AT:

Appalachian Trail Conservancy: *The Appalachian Trail – Celebrating America's Hiking Trail*, New York, NY, 2012

Harrah, Andy: *Iron Toothpick – A Thru-hiker reveals Life, Legends and Oddities along the Appalachian Trail*, Oakton, VA, 2006

Lillard, David Edwin: *Appalachian Trail Names – Origins of Place Names along the AT*, Mechanicsburg, PA, 2002

Montgomery, Ben: *Grandma Gatewood's Walk – The inspiring story of the Woman who saved the Appalachian Trail*, Chicago, IL, 2014

Porter, Winton: *Just passin' thru – A vintage Store, the Appalachian Trail and a Cast of unforgettable Characters*, Birmingham, AL, 2009

Setzer, Lynn: *A Season on the Appalachian Trail*, Birmingham, AL, 2001

Shaffer, Earl Vincent: *Walking with Spring*, Appalachian Trail Conference, Harpers Ferry, WVA, 2004

2) Bibliographie zu angeschnittenen Themen in Teil I und Teil II:

Ball, Bonnie: *The Melungeons – Notes on the Origin of a Race*, Johnson City, TN, 1992

Herrero, Stephen: *Bear Attacks – Their Causes and Avoidance*, revised edition, Guilford, CT, 2002

Kennedy, Nigel Brent und Vaughan Kennedy, Robyn: *The Melungeons - The Resurrection of a proud People, An untold Story of ethnic Cleansing in America*, Macon, GA, 1997

Light, Frank G. (Hg): *Der alt Schuhlmeshter*, vol.1, Lebanon, PA, 1928

Okrent, Daniel: *Last Call – The Rise and Fall of Prohibition*, New York, NY, 2010

McPherson, James: *Battle Cry of Freedom – The Civil War Era*, New York, NY, 1988

3) Dvds zum Appalachian Trail:

Appalachian Impressions, by Mark Flagler,
Flagler Films 2004, 2 Dvd Set, in englischer Sprache, über www.flaglerfilms.com
Das ist noch immer die Top-Dokumentation zum Appalachian Trail mit Schwerpunkt auf das Thema Thru-hiking in allen seinen Aspekten. Witzig, sympathisch und absolut authentisch: so isses! Mark Flagler ist selbst Thru-hiker, der Mann weiß also, um was es geht.
Wenn ich Heimweh nach dem AT habe, lege ich mir die Dvds in den Player und bin sofort wieder am Trail. Diese Dokumentation ist phantastisch!
Der Filmtrailer dazu ist auf YouTube abspielbar.

Appalachian Trail by National Geographic, 2010, in englischer Sprache.
Da muss man im Internet etwas herumsuchen, denn auf einschlägigen Portalen werden Dvds zum AT zurzeit mit extrem verrückten Preisen angeboten. Lohnend ist diese 60-minütige Dokumentation aber allemal, denn man sieht die Appalachen und den Trail in herrlichen Luftaufnahmen, wie man diese Orte als Wanderer natürlich nicht zu sehen bekommt. Es ist wirklich schade, dass diese Dokumentation so kurz ist. Sie ist in voller Länge auch auf YouTube im Internet abspielbar.

2000 Miles to Maine, by Douglas Morse and Heide Estes, 2004, in englischer Sprache.
Das ist ebenso eine sehr gute Dokumentation zum AT und dem Alltag als Thru-hiker am Trail mit treffenden Landschaftsaufnahmen auch bei echtem 'Schietwetter', wie es am Trail tatsäch-

lich ist. Sehr authentisch und daher wunderbar geeignet, ein gutes Bild von dem Ganzen zu erhalten. Der Filmtrailer ist auf YouTube abspielbar

Neben den drei genannten Dokumentationen kenne ich noch andere zum AT, darunter eine deutschsprachige, aber diese empfehle ich erst gar nicht, denn sie sind bei mir allesamt durchgefallen, weil sie das richtige 'feeling' dieses Trails einfach nicht transportieren.
Mir geht es bei der Auswahl darum, nur Filme zu empfehlen, die den Geist des Appalachian Trails herüberbringen und nicht das, was sich ein Regisseur einbildet, was der AT sein könnte. Nach zwei kompletten Thru-hikes ist man sicherlich nicht der absolute Experte, aber man hat ein deutliches Gespür dafür, welcher Film den richtigen Geist einfängt und welcher nicht.

4) Internet:

Webadressen zum Appalachian Trail:

www.appalachiantrail.org – offizielle Webseite der Appalachian Trail Conservancy mit online-store zum AT

www.aldha.org – Appalachian Long Distance Hikers Association

www.whiteblaze.net – beliebteste Webseite mit Diskussionsforum zum AT

YouTube Videos:

BigTex: *Thru Hiking - What People Think It Is Like.......*
ein kurzes, absolut phantastisch gemachtes Video von einem britischen AT Thru-hiker zu den gängigen Vorstellungen, die sich Leute üblicherweise über einen Thru-hike machen und der Gegenüberstellung, was es tatsächlich ist. Wunderbar gemacht!

Reptar Hikes: *Appalachian Trail Thru Hike*
ein Kurzvideo mit herrlichen Landschaftsaufnahmen vom AT im Schnelldurchlauf.

Tandem Trekking: *An Appalachian Trail Movie - the good, the bad, the badass*
ein kurzes Video zum Thru-hike von *Pony Bear* und *Indy*, einem jungen Hiker-Paar, mit vielen Eindrücken vom Trail, die das 'Gesamtpaket' einer solchen Wanderung zeigen, wie es halt einfach so ist.

The Hiking Vikings: *Tips from the Trail*
ein witziges, sympathisches Thru-hiker Ehepaar aus Pennsylvania gibt in mehreren Folgen Tipps zu diversen Themen am Trail, die jeden Thru-hiker betreffen.

II: Thru-hiker Corner – *Hiker box*

1) Apps, Maps & Guidebooks

Apps:
Aktuell (Stand Februar 2017) gibt es eine brauchbare App zum Appalachian Trail für Smartphones von Guthook: *AT Hiker: Guthook's Guide*
mit diversen Kartentypen zum Download auf das Phone, einem Hikingguide des gesamten Trails, GPS-Funktion und dem Trailprofil der einzelnen Etappen. Zum Test ist die Etappe Amicalola Falls State Park bis Springer Mountain in Georgia gratis, an der man die App vorab ausprobieren kann, ob sie einem taugt. Sollte sie zusagen, empfiehlt sich, das Thru-hiker Paket als Ganzes zu erwerben, als die Etappen einzeln, weil es günstiger ist.

Aus eigener Erfahrung kann ich zu dieser App nichts sagen, denn beide Thru-hikes habe ich ohne Mobiltelefon gemacht und nur Karten und Handbücher zum AT genutzt.
Auch wenn es wie eine lästige, überflüssige Binse anmutet: man muss hier unbedingt bedenken, dass Mobiltelefone ausfallen können, kaputt gehen, keine Akkulaufzeit mehr haben, kein Netz vorhanden ist oder gar verloren gehen können, weshalb man zusätzlich zum Smartphone auch handfestes Material zum AT am Trail dabeihaben sollte.
Wie es um den Mobiltelefon-Empfang am AT bestellt ist, wäre in der Hiker Community unter *whiteblaze.net* zu klären, ebenso, welche Backup-Akkus die Hiker gewöhnlich auf den Trail mitnehmen, um ihr Smartphone unterwegs zu laden.
Zu beachten ist außerdem, dass bei kalten Temperaturen Batterien weitaus schneller leer werden als sonst. Geräte mit Akkus oder Batterien daher nachts unbedingt warm einpacken, wenn nicht gar ins Fußteil des Schlafsacks mit hineingeben.

Maps/Karten:
Bei der Appalachian Trail Conservancy erhältlich ist ein Gesamtset der einzelnen Etappen auf 37 Karten, die auf wetterbeständiger, robuster Plastikfolie gedruckt sind und extrem viel aushalten. Diese Karten gibt es mit einem kleinen Handbuch zum jeweiligen Abschnitt, aber auch ohne diese Handbücher.
Meiner Erfahrung nach braucht man die kleinen Handbücher zu den Abschnitten nicht; es reichen die Karten alleine, die man mit einem anderen Trailguide kombinieren kann.
Leider aber sind die Karten eine sehr kostspielige Angelegenheit.

Der Appalachian Trail ist für gewöhnlich sehr gut markiert, sodass man zur Navigation auf dem Trail die Karten eigentlich nicht braucht.
Eigentlich.
Das gilt im best case scenario, wenn alles glatt läuft und man lediglich seine Etappen wandert, wie man es sich so vorstellt. Wenn aber etwas passiert, sodass man mitten in einer Etappe so schnell es nur geht vom Berg herunterkommen muss, dann steht man mit einem Guidebook alleine ziemlich hilflos da.
Das ist eine Entscheidung, die jeder mit sich selbst abmachen muss, wieviel Sicherheit man persönlich unterwegs haben möchte.
Ich habe mir die Karten gekauft, denn das Risiko war mir zu groß.
Nachdem man die Karten zum Planen der ersten Etappe nicht unbedingt braucht, ist mein Tipp, sich das Set nicht nach Deutschland schicken zu lassen, sondern an das Hostel, in dem man seine erste Nacht in den USA verbringt, bevor es am nächsten Tag zum Trail geht.
Mit seinen Hostelgastgebern kann man diesbezüglich ausmachen, sich vorab zu deren Händen ein Päckchen zusenden zu lassen, und da man sowieso zu Beginn des AT seine Bounce-box packen muss, ist dieser Weg recht praktisch.
Denn diesen Kartensatz nach Deutschland schicken zu lassen bedeutet in jedem Fall Zoll, der obendrein fällig wird, und zwar nicht nur auf die Karten alleine, sondern auch auf die Versanddienstleistung Luftpostporto mit Tracking von den USA nach Deutschland. Das komplette Set wiegt fast zwei Kilo, was als nachweisbare Luftpostsendung von Übersee recht kostspielig wird, plus Kartenset um die 170 Dollar, und für beides wird Zoll erhoben.
Das muss nicht sein. Man kann sich zwar keine Waren im Wert von mehreren hundert Euro per Post zollfrei nach Deutschland schicken lassen, aber man kann aus dem Ausland nach Deutschland einreisen und hat diese Freimenge von mehreren hundert Euro, die man zollfrei einführen darf. Damit sind die Karten beim Zurückkommen in jedem Falle abgedeckt.

Alternativ zu den Karten der ATC gibt es seit 2016 ein Set von 13 Karten zum Appalachian Trail von National Geographic. Auch dieses Set ist ähnlich kostspielig, sodass meine Empfehlung bezüglich des Versands von oben gilt.

Alle Kartensets sind erhältlich unter *www.atctrailstore.org*

Guidebooks/Handbücher:
Bei den verschiedenen Handbüchern gab und gibt es immer wieder neue Ausgaben oder solche Handbücher, die eine Zeit lang sehr beliebt sind, aber dann doch wieder von einem anderen Trailguide überrundet werden.
So sind aktuell Handbücher erhältlich, die ich selbst nicht oder noch nicht genutzt habe, weil es sie noch nicht gab, oder weil sie 2007/2008 noch nicht in dieser Art auf dem Markt waren.

Appalachian Trail Thru-Hikers' Companion
jährlich neue Ausgabe von der ATC; das ist der Klassiker unter den Handbüchern, den es seit 2014 mit durchgängigem Trailprofil von Georgia nach Maine gibt.
Vorher war das leider noch nicht dabei, doch seit der 2014er Ausgabe hat man mit den einzelnen Trailabschnitten und deren Wegmarker eben auch die Profilgrafiken mit sämtlichen Sheltern, Campstellen, Wasserquellen und US-Straßen auf einen Blick. Diesen Trailguide, so, wie er jetzt ist, hätte ich gerne bei meinen Thru-hikes gehabt.
Das Handbuch hat selbstverständlich auch ausführliche Informationen, wie man zum Trail hinkommt und welche Hostels oder andere Unterkünfte einem in der Nähe der jeweiligen Trailendpunkte zur Verfügung stehen. Alle Serviceleistungen in Trailnähe werden von Georgia bis Maine aufgelistet, außerdem sind Stadtpläne der wichtigsten Trailtowns enthalten. Mit diesem Handbuch kann man von zuhause aus seine ersten Etappen am Trail wunderbar planen.

Appalachian Trail Data Book
wird ebenso jährlich neu von der ATC publiziert und ist auch ein Klassiker unter den Hikern, die es gerne so knapp wie nur irgend möglich haben wollen.
Auf 73 Seiten (ohne Cover und Seiten, die man vom Buchblock entfernen kann) wird der gesamte AT von Maine nach Georgia auf die absolut nötigsten Informationen zusammengestampft. Es gibt keine Wegprofile und auch keine ausführlichen Angaben zu den Städten oder Serviceleistungen in Trailnähe, nur die reinen Serviceleistungen als Code, der zu Beginn im Buch erklärt wird, die wichtigsten Wegpunkte und Postleitzahlen der Postämter in der Nähe des Trails.

Sowohl Data Book als auch Thru-Hikers' Companion sind mit dem Kartenset der ATC kompatibel.

Seit 2013 gibt es von der ATC herausgegeben das *Appalachian Trail Book Of Profiles*
mit Seitenperforierung zum Heraustrennen. Hier hat man den gesamten AT von Georgia bis

Maine als Profil, wie im Companion mit allen Sheltern, Campstellen, Wasserquellen und US-Straßen eingezeichnet.

Alle drei Bücher sind erhältlich unter: *www.atctrailstore.org*

Aus den *Appalachian Pages*, die 2008 als jeweils eigene Edition für Northbounder und Southbounder publiziert wurden, sind zwei neue Handbücher entstanden, wieder jeweils eines für Northbounder und Southbounder:
The A.T. Guide
publiziert von David 'Awol' Miller, die jedes Jahr neu herauskommen, auch als Edition mit losen Seiten und als pdf-download unter: *www.shop.theatguide.com* zu beziehen.
Ebenso hier gibt es Trailprofile, alle einzelnen Wegmarken und die Serviceleistungen in Trailnähe.

2) Hinkommen und empfohlene Startzeiten:

Allgemein:
Man benötigt ein B2-Visitor's Visa vom amerikanischen Konsulat oder der US Botschaft, das man aktuell vorab über Formulare auf zwei Webseiten online vorbereiten muss, damit man einen Interviewtermin beim zuständigen Konsulat vereinbaren kann.
In der Bundesrepublik Deutschland werden B2-Visitor's Visa derzeit nur an den Standorten Berlin, Frankfurt und München ausgestellt.
Kostenpunkt ist zurzeit 160 US-Dollar, die sich in Euro bezahlt auf 152 Euro belaufen.
Näheres zum Procedere, das etwas zeitaufwendig ist, unter:
https://de.usembassy.gov

Ein Tipp: Selbst, wenn beim Ausfüllen des benötigten DS-160 Formulars online der Photoupload glückt, das Passphoto von der Serversoftware als geeignet akzeptiert wird, muss man unbedingt zum Interviewtermin im Generalkonsulat oder in der Botschaft Geld mitnehmen (u.a. Banknoten zu EUR 5,--), damit man vor Ort die Photoautomaten nutzen kann. Denn das Serverprogramm prüft bei den upzuloadenden Photos eher die Pixelmenge und das Bildformat, aber nicht, ob das Passphoto den geforderten Spezifikationen entspricht, die die US-Behörden zur Visumsausstellung verlangen.

Hat man sein Visum im Reisepass, darf man nicht vergessen, zuhause noch eine Auslandskrankenversicherung für die Dauer der Wanderung abzuschließen.

Seit einiger Zeit ist es wegen der großen Hikerzahlen im Frühling in Georgia sehr ratsam, vorab bei der ATC einen Thru-hike anzumelden, damit man Stoßzeiten am Trailbeginn zu bestimmten Tagen vermeiden kann.
Näheres dazu auf: *www.appalachiantrail.org*

Northbound
Man benötigt ein Flugticket mit Hinflug nach Atlanta und Rückflug von Boston aus.
Für den Start in Georgia empfiehlt es sich unbedingt, nicht auf eigene Faust nach Gainesville oder Dahlonega weiterzureisen, sondern das Thru-hiker Special im A.T. Hiker Hostel von Josh und Leigh Saint zu buchen. (*www.hikerhostel.com, hikerhostel@yahoo.com*)
Mit der Buchung erklären einem die beiden, wohin man vom Flughafen in Atlanta weiter mit den MARTA Schnellzügen hinkommen soll, um abgeholt zu werden.
Es ist so, dass weder von Dahlonega, noch von Gainesville öffentliche Verkehrsmittel zum Einstiegstrail in Amicalola Falls State Park fahren. Man müsste sich von diesen Kleinstädten aus mit einem Taxi hinbringen lassen.
Nachdem man aber sowieso noch eine Reihe von Dingen vorzubereiten hat, wenn man erst einmal in Georgia angekommen ist, tut man gut daran, sich bei den Saints einzuquartieren, denn die beiden sind selbst Thru-hiker und kennen das Trail-Business von der Pike auf.
Man muss seinen kompletten Proviant vor Ort noch einkaufen (in die USA dürfen abgesehen von einigen Snacks keine Lebensmittel eingeführt werden), seine Bounce-box fertigstellen, wofür man Shuttles zum Supermarkt und zum Postamt braucht; die Saints haben außerdem die aktuellen Infos zum Trail, falls es zur Etappe in Georgia etwas zu beachten gibt, das nicht im Trailguide steht.
Man muss bedenken, dass man in Atlanta mit Jetlag aus dem Flugzeug steigt und ziemlich müde ist, wo man für jede Hilfe dankbar ist, die man vor Ort haben kann. Und die Saints sind einem eine sehr große Hilfe bei allem, was vor dem Start noch vorbereitet werden muss.

Meine empfohlene Startzeit für einen Northbound: April.
Auf keinen Fall früher. Es wird auch im April noch empfindlich kalt in den südlichen Appalachen, was vollkommen ausreicht, um einen Geschmack davon zu erhalten. Wer bereits im März startet, der ist bis weit nach Virginia hinein in kahlen Bergwäldern unterwegs, was keine Freude ist. Das würde ich auf keinen Fall machen.

Southbound

Hier benötigt man ein Flugticket nach Boston mit Rückflug von Atlanta aus.

Wer southbound wandern möchte, bucht sich vorab am besten in der Appalachian Trail Lodge in Millinocket bei Jaime 'NaviGator' und Paul 'OleMan' Renaud ein. Beide sind selbst Thru-hiker, kennen sich daher mit dem ganzen AT und seinem Drum und Dran aus und werden einem die entsprechenden Busverbindungen nennen, mit denen man von Boston über Bangor nach Medway kommt, von wo sie einen abholen.

Auch zu Baxter State Park gibt es keine öffentlichen Verkehrsmittel, deshalb ist man bei den Renauds gleich am richtigen Ort.

Und auch als Southbounder muss man seinen Proviant für die erste Etappe nach Monson erst noch einkaufen, seine Bounce-box einrichten und sich möglicherweise sogar ein Maildrop am Trail voranschicken. *www.appalachiantraillodge.com*

Meine empfohlene Startzeit für einen Southbound: Juni.

Am besten vorab schon mit den Renauds in Kontakt treten und nachfragen, wie es von den Schneeverhältnissen aussieht. Ob Katahdin bestiegen werden kann, hängt ja davon ab, ob der Berg schneefrei ist oder nicht.

Wenn man bei seinem Southbound schließlich auf Höhe NOC, dem Nantahala Outdoor Center in North Carolina ist, wäre dringend zu empfehlen, die Saints vom A.T. Hiker Hostel in Georgia (Kontaktdaten siehe oben bei Northbound) zu kontaktieren, um wegen eines freien Hostelplatzes nach Beendigung seines Hikes auf Springer Mountain nachzufragen, denn September/Anfang Oktober sind die beiden gut ausgebucht mit Radlern, die zu dieser Zeit in Georgia Saison haben.

3) 2,000-Miler Certificate:

Hat man die gesamte Wegstrecke des Appalachian National Scenic Trails als Thru-hiker von Georgia nach Maine, von Maine nach Georgia, als Flip-flop-hike (seit neuestem: Alternative) oder als Section-hike bewältigt, kann man dies der Appalachian Trail Conservancy in Harpers Ferry melden, um ein *2,000-Miler Certificate* mit dem *2,000-Miler-Rocker* zu erhalten und offiziell als Appalachian Trail Thru-hiker registriert zu werden.

Näheres dazu unter: *www.appalachiantrail.org* > explore the trail > thruhiking; dort die gesamte Seite herunterscrollen bis zum download 'application'

Das ist schon eine feine Sache, bei der es mir noch nicht einmal so sehr um die Urkunde ging, die man erhält. Für mich war es einfach die Registrierung beider Thru-hikes mit meinem Trailnamen und den zugehörigen Personendaten und dass man einen *2,000-Miler-Rocker* erhält, den man aufnähen oder aufbügeln kann.
Mein 2007er *2,000-Miler-Rocker* ist seither in einem Fach meines Geldbeutels ständig mit mir unterwegs. Ich hatte ihn sogar schon auf meinem Southbound das Jahr drauf dabei - dieser kleine, blaue Aufnäher war 2008 also die gesamte Strecke von Maine nach Georgia mit mir auf dem Appalachian Trail.
Einen Tipp zum *2,000-Miler-Rocker*:
Der kleine Aufnäher ist das Ergänzungsteil zu einem runden AT-Aufnäher, den man sich in Harpers Ferry unbedingt kaufen sollte, wenn man bei der ATC vorbeikommt.

4) *Leave No Trace Outdoor Ethics:*

In den USA gibt es selbstverständlich auch Regeln, die dabei helfen sollen, Flora und Fauna zu erhalten, nachdem immer mehr Leute sich an bestimmten Orten im Freien einfinden und das Ganze genießen wollen.
Es wird daher dringend empfohlen, sich an die sieben Leave no Trace Punkte zu halten, die wesentlich dazu beitragen, die Umwelt so zu erhalten, dass auch Nachfolgende noch Freude daran haben, außerdem Pflanzen und Tiere weiterhin leben und gedeihen können.

1: Plan ahead and prepare

Das betrifft ganz allgemein die Vorbereitung und Planung seiner Outdoortrips, etwa, dass man weiß, welche zusätzlichen Regelungen in einem bestimmten Gebiet gelten, das man aufsucht – ob ein Trailabschnitt geschlossen oder Campen an bestimmten Stellen verboten ist, etwa, weil dort Vegetation nachwachsen soll.

2: Travel and camp on durable surfaces

Hier geht es darum, bestehende offizielle Wege zu nutzen und keine neuen Abzweiger in den Boden zu trampeln, aber auch, dass man nicht zu Erosion beiträgt, indem man sensible Vegetation an ausgesetzten Stellen durch Campieren oder Abseitslaufen schädigt.

3: Dispose of waste properly

Gemeint ist nicht nur *'pack it in and pack it out'*, also, dass der eigene Müll wieder mitgenommen werden soll, sondern auch, dass man keinen Müll in den Feuerstellen verbrennt oder gar vergräbt, wo Wildtiere angelockt werden. Hierzu gehört ebenso, wenn man austritt, ein kleines Loch auszuheben, in dem die eigenen natürlichen Hinterlassenschaften vergraben werden, und wenn man einen Hund dabeihat, eben auch dessen Kot auf diese Weise zu versorgen. Beim Austreten darauf achten, dies nicht in der Nähe von Wasserquellen zu tun.

4: Leave what you find

Keine Pflanzen pflücken oder zerstören, was sich natürlich auch auf Campstellen oder historische Stätten im Freien bezieht, dass man sie so belassen soll, wie sie sind und nicht hergeht und sich vandalierend verewigt.

5: Minimize campfire impacts

Campfeuer sind zwar vielerorts erlaubt, führen aber in den USA immer wieder zu verheerenden Waldbränden, daher sollte man sich lieber auf seinen Campingkocher beschränken, diesen unter Kontrolle halten und auf offenes Feuer verzichten.
Wenn ein Feuer gemacht wird, darauf achten, dass es sich nicht ausbreiten kann und vor Verlassen der Campstelle wirklich vollständig erloschen ist.

6: Respect wildlife

Damit sind mehrere Punkte gemeint: keine Wildtiere füttern – gefütterte Wildtiere sind tote Wildtiere! Keinen Müll hinterlassen, der Wildtiere anzieht und falsch konditioniert (Bären!), außerdem Proviant wildtiersicher aufbewahren. Wildtiere nicht aufscheuchen oder stören, ihnen ihre Ruhe lassen.

7: Be considerate of other visitors

Mobiltelefone, Mobiltelefone, Mobiltelefone. Aber auch: Laute Radios oder anderen Krach, für den man verantwortlich ist, möglichst unterlassen. Außerdem kommt hier die übliche Etikette am Wanderweg hinzu.

Für weitere Informationen dazu: *www.lnt.org*

5) Tipps:

Bergschuhe versus Trailrunner

Auf dem AT empfehle ich aus eigener Erfahrung Bergschuhe. Ob diese nun fester oder leichter Art sind hängt davon ab, wieviel Stützfunktion man persönlich von seinem Schuh benötigt. Hochalpine Modelle sind nicht notwendig, aber ich würde in jedem Falle Bergschuhe nehmen und nicht die turschuhartigen Trailrunner.
Der AT ist stellen- und streckenweise sehr felsig, ganz besonders in Teilen North Carolinas, in Pennsylvania, New York und Connecticut; in Massachusetts und Vermont, New Hampshire und Maine. Wenn man ausrutscht, und das passiert sehr häufig, knallt man auch mit dem Fuß gegen Felsen - seitlich, frontal, mit der Ferse - ebenso beim Stürzen. Aber auch so stößt man unzählige Male mit dem Fuß gegen Felsen oder Wurzeln. Der Schutz, den einem Bergschuhe hier bieten, ist bei weitem besser als das leichte Mesh-Gewebe der Trailrunner, die ja nur von der Sohle her griffiger sind als normale Turnschuhe.

Bären

Die Situation am Trail und die nähere Umgebung über die ATC im Auge behalten. Es sind jährlich steigende Zahlen von Thru-hikern auf dem AT unterwegs, was sich in den ersten drei Trailstaaten von Georgia bis Tennessee ganz besonders auswirkt, auch wenn von den anfänglichen Massen später wieder mehrere Hiker den Trail verlassen.
In der Zeit, in der ich auf dem AT unterwegs war bis jetzt hat sich offenbar die Situation mit auffälligen Schwarzbären in Georgia, in Teilen North Carolinas und in Tennessee am Lake Watauga Shelter bis hinauf auf Iron Mountain verschlimmert, sodass Shelter gesperrt sind und schon ernsthaft angeraten wird, auf dem gesamten AT einen Bärenkanister mitzunehmen.
Dieser ist beim Campen auf der etwa drei Meilen langen Etappe von Jarrard Gap bis einschließlich Blood Mountain Shelter in Georgia sogar Pflicht gemäß US-Forstbehörden.
Dass es soweit hat kommen müssen, hat einzig mit verantwortungslosen Vorgängern zu tun, die ihren Proviant nicht bärensicher weggehängt haben, am Camp möglicherweise sogar Essensreste zurückließen oder dort halbwegs verbrannten - was auch immer, doch das hat hartnäckige Bären in die Gegenden gelockt, die man nun nicht mehr loswird.
Diese Bären können zu einer echten Gefahr für nachkommende Hiker werden.
Bärenkanister sind zwar vom Gebrauch her eine feine Sache, denn man stellt sie einfach etwas vom Camp entfernt auf den Boden und braucht sich weiter um nichts zu kümmern. Kein Bär bekommt einen BearVault Kanister auf oder kann ihn verziehen. Das Essen dort drin ist sicher. Aber so ein Kanister wiegt etwas über ein Kilo leer, zumindest die Größe, die man als Thru-

hiker in jedem Fall braucht, was kein Spaß ist, wenn man das jeden Tag zusätzlich auf dem Buckel herumschleppen muss.
Bärenkanister helfen auch nicht, wenn ein falsch konditionierter Bär ins Camp kommt oder sich einem am Trail nähert.
Wenn die Situation so, wie sie aktuell leider ist, sich nicht wieder beruhigt, ist zur eigenen Sicherheit ratsam, sich in den USA ein Bärenspray zu kaufen, für den Fall, dass es einmal zum Äußersten kommen sollte.
Man weiß einfach nicht, ob Leute vor einem leichtsinnigen Blödsinn mit Lebensmitteln gemacht haben, den man am Ende ausbaden muss; mit einem Taschenmesser oder Teleskopstöcken ist gegen einen aufdringlichen Schwarzbären nicht viel auszurichten.
Die Situation also im Auge behalten.

Chafing - Wundreiben
Es kommt am Trail bei Frauen und Männern recht häufig vor, dass Oberschenkel innen wundgerieben werden, was noch nicht einmal damit zusammenhängen muss, dass die betreffenden Hiker umfangreichere Beine haben. Es ist das Schwitzen in Verbindung mit freien Hautstellen, die aneinanderreiben, und schon ist es passiert.
Da muss man rasch handeln und die Shorts eben weglassen.
Radlerhosen bis zum Knie helfen, auch halblange Hosen bis knapp übers Knie. Oder aber dünne Damenseidenstrümpfe, die unterhalb des Knies einfach abgeschnitten werden. Das haben einige Hiker so gelöst, die mit Hiking-Kilts unterwegs waren und unter den Röcken ein Problem mit Wundreiben bekamen.
Dazu gab es im Dollar Store in Hot Springs, North Carolina, einen lustigen Vorfall, als ein Trio Hiker dort einkaufte und einer von den Jungs eben wegen seines Hikingkilts Damenseidenstrumpfhosen besorgte.
Die Kassiererin schaute schon ganz komisch, weil der junge Kerl drei Packungen Seidenstrumpfhosen am Band liegen hatte, worauf ihr der Hiker verlegen erklärte, dass er diese für eine Bekannte besorge. Daraufhin sein Kumpel verschwörerisch zur Kassiererin: *"Das sagt er jedesmal. Aber der steht auf Damenstrumpfhosen!"* – Knallharter Hikerhumor!

Duct Tape
Das ist das Universalreparaturutensil schlechthin auf jeder Weitwanderung. Damit man seinen kleinen Vorrat davon nicht im Rucksack irgendwo herumfliegen hat und bei Bedarf lange suchen muss, wickelt man sich zwei gute Ringe davon um seine Teleskopstöcke unterhalb des Griffs, wo es einen nicht stört.

Gamaschen

Ein Muss. Man braucht keine kniehohen Gamaschen wie im Schnee, es reicht ein kurzes, atmungsaktives und leichtgewichtiges Paar. Denn es geht hier darum, keine kleinen Kiesel, Ästchen oder sonstiges Zeugs beim Wandern zwischen Schuhschaft und Socken zu bekommen, was ohne Gamaschen leider ständig der Fall ist.

Hunde

Es gibt Hiker, die mit ihrem Hund auf dem AT wandern. Dabei gilt aber, dass im Great Smoky Mountains Nationalpark und in Baxter State Park keine Hunde mitgenommen werden dürfen, was bedeutet, dass man sich darum kümmern muss, in der umliegenden Gegend eine Hundepension ausfindig zu machen, in die man seinen Vierbeiner gibt, während man in diesen Parks unterwegs ist.

Hinzu kommt, dass in den meisten Hostels und Motels entlang des Trails keine Tiere gestattet sind, auch nicht in den AMC Huts in den White Mountains. Außerdem ist dieser Trail für die Tiere selbst sehr anstrengend. Nicht nur vom Terrain und der täglichen Meilenzahl, aber auch von den Temperaturen, wenn es warm wird.

Das ist kein Spaß für die armen Kerle. Daneben kommt es noch zu Zeckenbefall und wundgelaufenen Pfoten.

Ich würde keinen Hund auf den Trail mitnehmen, wenn die Wanderung ein Thru-hike sein soll. Man muss einfach bedenken, dass es nicht das Tier ist, das einen darum gebeten hat, 3500 Kilometer durch die Berge zu laufen, sondern man selbst derjenige ist, der dies tun möchte.

Isomatten

Ganz klare Sache: No way! Es gibt mittlerweile von Therm-a-rest eine superleichte, minimal zusammenfaltbare Trekkingmatratze zum Aufblasen, die viel bequemer ist und mehr Schlafkomfort bietet als eine Isomatte. Die *NeoAir X Lite* in der regulären Größe ist drei Jahreszeiten einsetzbar und wiegt 350 g bei einem Packmaß unter einem Liter Volumen.

Nach einem anstrengenden Trekkingtag - und alle Trekkingtage sind ausnahmslos anstrengend - möchte man nachts nur eines: gut schlafen. Die Böden sind felsig und von Wurzeln durchzogen, so dick kann eine Isomatte gar nicht sein, dass man das nicht trotzdem spürt. Selbst im Shelter ist eine Isomatte unbequem. Ganz abgesehen davon, dass einige Shelter noch diese baseballbat Rundbohlen am Boden haben, die man in jedem Fall durch die Matte zu spüren bekommt. Das muss man sich wirklich nicht geben.

Ich habe meinen Northbound mit einer extradicken Isomatte begonnen – bereits in Neels Gap kam sofort eine Therm-a-rest Matratze her.

Kamera

Auf dem Appalachian Trail bieten sich natürlich reichliche Gelegenheiten für Photos. Das Thema welchen Kameratyp man bereit ist, in diese Berge mitzunehmen, angesichts wechselnder Witterungsverhältnisse und der dampfigen Feuchtigkeit, insbesondere in den Mid-Atlantic-States, muss jeder für sich selbst entscheiden.

Man sollte aber nicht vergessen, auch Photos von den Hikern zu knipsen, mit denen man gerne zusammen war, denn der Augenblick kommt recht schnell, wo man sie nicht mehr wiedersieht, und vor lauter guter Stimmung womöglich total vergisst, die Leute zu knipsen. Dasselbe gilt für E-Mail-Adressen austauschen.

Mir ist es auf beiden Thru-hikes leider so ergangen, dass im richtigen Augenblick überhaupt nicht daran dachte, nach den Adressen zu fragen und Erinnerungsphotos zu machen.

Hinterher erst, als es bereits zu spät war, fiel es mir dann ein, dass ich gar keine Photos gemacht habe. Das ist sehr ärgerlich und schade obendrein. Am besten eine Post-it Gedächtnisstütze an die Kameratasche festkleben, dass man auch daran denkt.

Regenbekleidung

Abgesehen vom Beginn im Süden bis nach den Smokies und später wieder ab Hanover, New Hampshire braucht man keine Regenhosen. Sie sind schlichtweg nutzlos.

Das Wetter ist warm und das einzige, was man sich mit Regenhosen einbrockt ist, sich eine direkte Regenrinne vom Oberschenkel hinab geradewegs in die Schuhe zu schaffen, wo das Wasser einem dann ungehindert hineinläuft. Man wird in jedem Falle mit nassen Hosen, Trekkingröcken oder Shorts und klatschnassen Schuhen unterwegs sein, daran ist nichts zu ändern.

Eine Regenhose ist nur für die Gegenden mit kälteren Temperaturen gut, um sich vor Unterkühlung zu schützen, aber auch in diesen Gegenden wird man bei starkem Regen klatschnass werden.

Überhaupt Regenbekleidung: Eine einfache Regenjacke tut ihren Job. Egal, was einem diverse Outdoorhersteller so versprechen mögen – man hat genau zwei Optionen bei Regenwetter am Trail:

Entweder man wird von außen nass, weil die Regenjacke durchlässig ist, oder man wird von innen nass, weil die Regenjacke nicht durchlässig ist, man selbst darin aber so schwitzt, dass man nun in einer unangenehmen Oberkörpersauna unterwegs ist.

Pick your option. Es gibt keine andere.

Man kann sich das Geld für vermeintlich topfunktionierendes, feuchtigkeitsregulierendes, Gore-Tex-Pipapo-Zeugs und was es noch so alles an High-Tec-Wunderfasern geben soll, die einen angeblich atmungsaktiv und trocken halten, von vorneherein sparen.

Es gibt keine Regenbekleidung, die einen bei Dauerregen und über mehrere Tage im Freien trocken und wohltemperiert hält. Das richtige Leben am Trail bringt es schnell zutage: alle Marken, egal ob teuer oder günstig, versagen langfristig, und mit 'langfristig' hat man es nun einmal am Trail zu tun.
Fazit: Man wird patschnass werden und hat das zu akzeptieren.

Rucksack
In den Rucksack kommt zuallererst ein großer Müllsack als Regenschutz hinein. In diesen Müllsack werden dann die anderen Gegenstände, die trocken bleiben sollen, nochmal jeweils in Plastiktüten verpackt hineingegeben.
Ein Regencover alleine hält den Rucksack und vor allem die darin befindlichen Dinge nicht trocken, denn es gibt eine gehörige Schwachstelle, die jedes Regencover betrifft: die ungeschützte Stelle zwischen Nacken und Rucksackträgern, wo einem bei starkem Regen der gesamte Rucksack von hinten ruckzuck vollläuft. Ist mir so in New Hampshire passiert, dass ich in kürzester Zeit gleich mehrere Liter Wasser im Rucksack drinhatte und mitschleppen durfte, während mir der Regen wie unter vollaufgedrehter Dusche überall in Strömen herunterlief. Trotz Regencover hat sich der gesamte Rucksack vom Rücken her mit Wasser vollgesaugt und wurde natürlich klotzschwer. Daher empfehle ich einen dieser günstigen Einweg-Regenponchos, die man sich an der prekären Stelle über Kopf und Rucksack stülpt, darunter kombiniert mit der Regenjacke.
Sollte einem ein Rucksackcover abhanden kommen, kann man sich mit einer großen Mülltüte behelfen, die man an einer Seite mittig nicht bis ganz oben einschneidet, sodass der obere Teil noch über den Rucksack bis zu den Trägern gestülpt werden kann. Bei Windböen muss man die offenen Enden noch mit Duct Tape fixieren – fertig!

Schulterschmerzen
Anfangs haben viele Hiker Schmerzen an den Schultern von einschneidenden Trägern des Rucksacks; umso mehr, wenn er schwer ist. Ich habe dem mit extradicken Schwämmen zwischen Gurt und Schultern abgeholfen, und zwar solchen in Tafelschwammgröße. Kleinere helfen nicht viel. Wichtig ist, diese Schwämme vorher ordentlich zu spülen, denn in den USA werden sie gebrauchsfertig verkauft und haben bereits Reinigungsmittel in den Poren. Das muss vorher gründlich entfernt werden. Außerdem sollten sie nicht zu weich sein, damit die Auflagefläche an den Schultern breiter wird. Man muss mit Schweiß-Pickeln an den betroffenen Hautstellen rechnen und etwas rauer Haut, daher ist eine kleine Dose Hautcreme notwendig, die man sich bei jeder Einkehr in Städten wieder auffüllt. Wenn man den Rucksack gewöhnt ist, geht es ohne Schwämme.

Teleskopstöcke

Der Appalachian Trail ist so beschaffen, dass Wanderstöcke unverzichtbar sind. Nicht nur bei den steilen An- und Abstiegen wird man heilfroh darüber sein, wie einen diese Stöcke entlasten können, auch beim Flüssequeren in Maine hat man einige mit Wasser über Kniehöhe, wo Stöcke sehr hilfreich sind, die Balance zu halten, insbesondere bei den rutschigen Steinen im Wasser.

Trinksystem

Keine Wasserflaschen im Outdoorhandel kaufen. Sie haben aus hygienischen Gründen nur eine kurze Überlebensdauer auf dem AT. In den Flaschen entwickeln sich nach einigen Wochen Keime und glibberiger Schleim, den man auf Dauer nicht entfernen kann, egal, wie oft man die Flaschen reinigt und spült. Der US-Einzelhandel hat hervorragende PET-Getränkeflaschen für *Gatorade* oder Glacéau *Vitamin Water*, die sehr stabil sind und prima als kostenfreier Ersatz funktionieren. Bei jeder Stadteinkehr oder an günstig gelegenen Tankstellen werden neue Getränke gekauft und die alten Flaschen entsorgt. So können sich nicht lange Keime bilden und man beibt gesund.

Daher rate ich auch entschieden von diesen rucksackeigenen Wasserblasen mit Trinkschlauch ab. Zu unhygienisch und schwer zu reinigen. Man muss bedenken, dass ab Spätfrühling die Temperaturen sehr weit nach oben klettern, Trinkwasser bei weitem nicht immer aus kristallklaren Quellen kommt, sondern oft verfärbt ist, und selbst wenn man auf Getränkepulver verzichtet, das Wasser so trinkt, wie man es geschöpft hat, wird sich in Schlauch und Wasserblase irgendwann doch Glibberzeugs entwickeln, das einen krank machen kann. Also gleich zuhause lassen. Solche Dinge sind für kurze Trips geeignet, aber nicht für monatelange Thru-hikes.

Apropos Wasser: Im April sollte man seine Wasserflasche fest verschlossen nachts in den Schlafsack ins Fußteil geben, damit das Wasser in der Früh nicht eingefroren ist.

Ziploc-bags

Diese durchsichtigen Plastikbeutel mit Verschluss sind in allen Größen nicht nur praktisch sondern auch unverzichtbares Trekkingutensil.

Ob Kamera, ipod, Batterien, Smartphone, Stirnlampe, Trailguide – alles, was nicht nass werden sollte, kommt in ein ziploc. In diesen Beuteln ist auch das Toilettenpapier, das Waschzeug, das Verbandszeug und der kleine Krimskrams an diversen Dingen griffbereit, die sonst in allen Tiefen des Rucksacks verschwinden.

Da das Rucksackgewicht am Trail eine Rolle spielt, ist es bei vielen Hikern üblich, sich vom Trailguide nur die einzelnen Seiten der nächsten Etappe in ein ziploc zu geben, während das restliche Buch in der Bounce-box zum nächsten Rastpunkt in einer Stadt vorausgeschickt wird.

Zusatzpackbeutel

Meist kommen diverse Ausrüstungsgegenstände in zusätzlichen Packbeuteln, manchmal mit Mesh-Einsatz, oft mit Reißverschluss oder Zugbändchen oder in Etuis mit Druckknöpfen. Wenn es nicht der Stopfbeutel für den Schlafsack ist, das Täschchen für die Kamera oder der Schutzbeutel fürs Zelt, das meist außen am Rucksack befestigt wird – weg damit! Alle diese zusätzlichen Beutelchen und Täschchen summieren sich zu überflüssigem Gewicht, das man am Rücken herumschleppen muss, obwohl man diese Täschchen gar nicht braucht. Die Gegenstände werden im Rucksack sowieso sehr kompakt gepackt – man sortiert sich sein System grob in ziplocs und dann in größere Leichtpackbeutel unterschiedlicher Farben, sodass die 'Abteilungen' beieinander sind. Um empfindliche Ausrüstung vor Stößen zu schützen, kann man sie auch in ein Stück Luftkammer-Verpackungsfolie aus Polsterbriefumschlägen wickeln.

Vermischtes:

Adressetikett beschriften für Maildrops oder Bounce-box
> postlagernd bei Postämtern des US Postal Service (wird maximal einen Monat aufbewahrt!)

Richtiger Name, nicht Trailname
please hold for AT Hiker, ETA: Monat/Tag/Jahr
General Delivery
PLZ, Ort, Bundesstaatskürzel

ETA: estimated time of arrival

zusätzlich muss man natürlich seine Absenderadresse von zuhause angeben.
Bei Versandart *priority mail* wählen – ist etwas teurer, aber dafür auch schneller.
Es ist ärgerlich, zu einem Postamt zu kommen, bei dem man ein Maildrop erwartet und das Ding ist noch nicht eingetroffen, daher hier lieber nicht sparen.

> zu Hostels, Motels (vorher mit den Leuten dort absprechen, ob sie Maildrops annehmen!)

Richtiger Name, nicht Trailname
c/o Name des Hostels/Motels etc.
please hold for AT Hiker, ETA: Monat/Tag/Jahr
Hausnummer und Straße
PLZ, Ort, Bundesstaatskürzel

Absenderadresse von zuhause angeben und per *priority mail* schicken

Last but not least ...
Die Webseite der ATC unbedingt auf updates zum Trail und zum Handbuch im Auge behalten, insbesondere zurzeit wegen der Wasserquellen im Süden.
Die südlichen Appalachen hatten im Jahr 2016 ein ungewöhnlich trockenes Jahr, wo viele Wasserquellen, auch bisher sehr zuverlässige, am Trail versiegt sind. Im Spätherbst kamen noch massive Waldbrände in Georgia, Teilen North Carolinas und Tennessees bis hinein nach Virginia hinzu, was insgesamt eine schwierige Situation an bestimmten Trailabschnitten zur Folge hat, bis sich das wieder erholt.

Weniger ein Tipp als eher ein Hinweis – Kosten eines Thru-hikes; das 'Kleingedruckte':

Bis in die neunziger Jahre hinein galt die Daumenregel "one Dollar per mile". Damit kommt man längst schon nicht mehr sehr weit. Vom Ausland mit Reisekosten, Visumsgebühr und Auslandskrankenversicherung kommend, wären vorab bereits mehr als die Hälfte der 2.200 Dollar aufgebraucht, bevor man überhaupt ein white blaze des Trails gesehen hat.
Mit diesen Kosten, dem Ausrüstungskauf und dem, was finanziell am Trail dann noch auf einen zukommt, an Proviant, Unterkunft in Städten, Postgebühren, Ausrüstungsersatz, Essen in den Städten und dem, was man halt außerdem unterwegs zwangsläufig ausgibt, sollte man mindestens mit 8.000 Euro rechnen, die einen das Ganze kosten wird.
Solche Kostenrechnungen sind natürlich immer eine individuelle Angelegenheit – die einen geben mehr Geld aus, andere dafür wieder umso weniger.
Die tatsächliche Endsumme hängt auch sehr davon ab, welche persönlichen Vorlieben man hat und ob man bereit ist, beispielsweise ein Motel mit 90 bis 100 Dollar zu bezahlen, wenn es in einer Stadt kein Hostel gibt, oder ob man eher sehr sparsam lebt und nach der Stadteinkehr für Proviantkauf sofort zum Trail zurückkehrt und eben nicht in der Stadt bleibt, dort übernachtet und in Restaurants zum Essen geht. Dann hängt es noch davon ab, wieviele Tage man in einer Stadt bleibt und deren Annehmlichkeiten nutzt.
Einen gewichtigen Posten dabei, den man nicht unterschätzen darf, betrifft die Lebensmittel. Man wird auf diesem Thru-hike sehr große Mengen zu sich nehmen – meine wöchentlichen Proviantkäufe in einer Stadt beliefen sich konstant um die 130 bis 170 Dollar. Das konnte ich selbst nicht fassen, welche Summen sich bei mir im Supermarkt jedes Mal amortisiert haben. Aber das war so mein Standard nur für Proviant. Hinzu kamen Extrakosten für Lebensmittel während der Stadteinkehr und die anderen Auslagen.

NOC, North Carolina, September 2008

Ein *Selfie*, als es den Begriff noch gar nicht gegeben hat – so jedenfalls sah ich bei meinem Southbound bereits in New Hampshire aus, obwohl ich am Trail Proviant im Wert von gut 170 Dollar wöchentlich vertilgt habe, plus zusätzlichen Snacks und Essen an günstig gelegenen Stellen unterwegs. Man muss hohe Summen für Essen einplanen, weil man extrem viel essen muss, und dabei so kompakt und kalorienreich wie nur möglich. Der Körper verbrennt wie ein Hochleistungsmotor. Aber dafür ist man topfit – und zwar absolut!

Vom Trailverlauf gibt es einen deutlichen Preisunterschied vom Süden zum Norden. Im Süden kommt man vielerorts noch günstiger weg, es gibt mehrere Hostels, und auch Restaurants in den Trailtowns sind preislich nicht so hoch. Im Norden, vor allem ab den Neu-Englandstaaten, klettern die Preise und entsprechend die Kosten spürbar nach oben. Es gibt insgesamt weniger Hostels als noch bis einschließlich Pennsylvania, sodass man auf Motels oder Inns ausweichen muss, die im Norden teurer sind als im Süden.

III: Trailjargon* und Glossar

Viele Ausdrücke und Bezeichnungen, die am Appalachian Trail längst üblich sind, haben sich vom AT aus auf die anderen Weitwanderwege ausgedehnt, wo sie übernommen wurden. Mit dem Appalachian Trail und seinen ersten Thru-hikern ist im Laufe der Zeit jener spezifische Wortschatz (gekennzeichnet mit *) entstanden, der seinen Ursprung auf diesem Trail hat.

*AT**: Appalachian Trail
ATC: Appalachian Trail Conservancy; gemeinnützige Dachorganisation, die sich um den Erhalt des AT kümmert, (früher: Appalachian Trail Conference)
Approach trail: Zugangswanderweg

Backpacking: mehrtägige Wanderungen mit Tourenrucksack
Back yard: Garten hinter dem Haus
Band aid: Pflaster, Heftpflaster
Bärenkanister/bear canister: ein stabiler, fässchenähnlicher Container zum Verschließen, worin alles über Nacht aufbewahrt wird, das Bären anlocken kann: Essen, Campseife, Toilettenartikel, Sonnencreme ...; BearVault ist eine bekannte Qualitätsmarke, es gibt aber auch Ursacks aus Kevlar, aber diese sind von den US-Forst- und Nationalparkbehörden nicht als sicher genehmigt, obwohl Ursacks auch recht widerstandsfähig und dazu leichtgewichtiger sind.
Die Crux ist, man riskiert Strafen, wenn man von Rangern mit einem nicht genehmigten Bärenkanister erwischt wird, wo ihr Einsatz verpflichtend ist. Daher: BearVault und schleppen.
Baseball bat: Baseball Schläger, runde Holzbohlen
Bear bagging: Proviant bärensicher verstauen oder weghängen
Bear cord: Bärenseil zum Weghängen des Proviants
Bivy: Biwaksack
Blisters: Wasserblasen
Blaze: Wegmarkierung
*White Blaze**: weiße Markierung des AT
*Blue Blaze**: blaue Markierung von Seitentrails zu Wasser, Campstellen, Sheltern oder Alternativrouten, manchmal auch zu Sehenswürdigkeiten in AT-Nähe
Boots, Hiking boots: Wanderstiefel, Bergstiefel
*Bounce-box**: Päckchen, das man sich am Trail von Etappe zu Etappe voranschickt und immer wieder nutzt

*Maildrop**: einmalige Postsendung mit Proviant oder anderen Dingen, die zu einem Raststopp in der Stadt oder im Hostel geschickt wird
Bunkroom: Kojenlager, Bettenlager mit einfacher Schlafgelegenheit
Butt-kicking: sehr anstrengend, wörtlich: in den Hintern tretend

*Camp chores**: Aufgaben, die im Camp zu erledigen sind: Camp aufbauen, Essen kochen, Abwasch, Wasser holen und ggf. aufbereiten, Bärenseil werfen, etc.
Caretaker: offizielle Aufsichtsperson an einer Campstelle oder Campeinrichtung
CDT: Continental Divide Trail
Chainlink fences: metallene Schiebezäune
Cowboy camping: mit Schlafmatte und Schlafsack unter freiem Himmel schlafen
Creature comforts: Annehmlichkeiten und Komfort, die man als Mensch so braucht
Crowbars: Eisenhalterungen am Trail, sonst Brechstange

Flip-flopper/Flip-flop-hiker**: Hiker der den AT an einem Ende beginnt, irgendwo abbricht, zum anderen Ende fährt und von dort zu der Stelle wandert, wo er den Trail verlassen hat;
oder: Hiker, der den Trail irgendwo im Verlauf beginnt, zum einen Ende wandert, dann zum anderen Ende fährt, um von dort aus zu der Stelle zu wandern, wo er begonnen hat
Front yard: Vorgarten

Gaiters: Gamaschen
Gap: Bergschneise, Talschneise

Hand sanitizer: desinfizierendes Handgel
Hiker: Wanderer
Hiker box: Schachtel oder Truhe in Hostels am Trail mit Dingen für Hiker
Hiker community: Gemeinschaft aus Wanderern und Wanderenthusiasten
*Hiker trash**: Sammelbegriff für vom Trail total verdreckte, verklebte und ungewaschene Thruhiker
Hiking kilt: Wanderröcke für Herren, gibt es auch in echtem Schotten-Tartan mit Falten
Hillbilly: Trottel, Hinterwäldler
Hitch bitch/Ride bride**: weiblicher Hiker, der männlichen Hikern das Trampen leichter macht
Holy mackerel!: Heilige Makrele! Ausruf des Erstaunens

Junk food: alles an Chips, Fertiggerichten, Fast food, Süßwaren; vulgo: ungesundes Essen

Laundromat: Münzwäscherei
*Lean-to**: siehe Shelter*
Liner: Schlafsackschoner
Long distance hiker: Weitwanderer, Langstreckenwanderer

Mac'n'Cheese: Maccaroni und Käse; Sammelbegriff für Fertiggericht aus der Tüte
*Maildrop**: siehe unter Bounce-box*
Moonshining: illegal Schnaps brennen in den Appalachen
Moonshine: illegal gebrannter Schnaps in den Appalachen
*MUDS**: Akronym für mindless ups and downs – stumpfsinnige Auf- und Abstiege

*Near-O-Day**: Rasttag nach wenigen Meilen auf dem Trail, 'Fast-Null-Tag'
*Zero-Day**: Rasttag, 'Null Meilen auf dem Trail'
NoBo/ Nobos*/Northbounder**: Hiker, die den AT von Georgia nach Maine wandern, also nordwärts
Notch: Bergschneise, Talschneise

Offtrail: nicht auf dem Trail befindlich, außerhalb davon

Pack, Backpack: Tourenrucksack
Pack cover: Rucksackcover
PCT: Pacific Crest Trail
Poles, Hiking poles: Teleskopstöcke, Wanderstöcke
Predatory behaviour: Jagdverhalten mit Verfolgen
*Privy**: Plumpsklo bei Campstellen am AT
*PUDS**: Akronym für pointless ups and downs – sinnlose Auf- und Abstiege
*Purist**: Hiker, der sich strikt an die offizielle, weißmarkierte Route des AT hält

Redneck: Prolet, Hinterwäldler, Ewiggestriger
*Ride bride**: siehe hitch bitch*
Ride into town: Mitfahrgelegenheit in eine Stadt
Ridgeline walking: auf einem Berggrat oder vegetationsoffenen Bergrücken wandern
Ridgerunner: Person, die offiziell Wanderwege zur Kontrolle abgeht
Roadkill: überfahrene Tiere auf der Straße
Roadwalking: auf der Straße mit Rucksack und Bergstiefeln marschieren

Seam sealer: Paste zum Versiegeln der Nähte
*Section hike**: abgeschlossene Wanderung eines Trailstücks
Shelter/Lean-to**: dreiseitige Hütten für Hiker am AT und LT
*Shelter log**: Logbuch vom Shelter
Slackpacking/Slackpacker**: Hiker, die den Tourenrucksack im Hostel lassen und Etappen mit Shuttleservice und Tagesrucksack wandern
SoBo/Sobos*/Southbounder**: Hiker, die den AT von Maine nach Georgia wandern, also südwärts
Socializing: sich mit anderen Hikern austauschen, zusammen sein
Southern Hospitality: sprichwörtliche Gastfreundschaft in den Südstaaten
Stealth camp: inoffizielle Campstelle, wilde Campstelle
Switchbacks: Wegkehren

Tarp: Zelt aus einer Plane ohne Boden, Leichtzelt
*Thru-hike**: abgeschlossene Komplettwanderung eines Weitwanderweges, oder solche, die gerade gemacht wird
*Thru-hiker**: Wanderer der dabei ist, einen Weitwanderweg von einem Ende zum anderen in einer Saison zu wandern, oder dies bereits geschafft hat
*Town chores**: Erledigungen/Aufgaben bei einer Stadteinkehr
Trail: Wanderweg
*Trail Angel**: Leute, die Hikern Gutes tun
*Trail Magic**: die guten Dinge und Hilfeleistungen, die Hikern am und um den Trail von *Trail Angels* widerfahren
*Trail town**: Stadt, durch die der AT hindurchführt oder in deren Nähe er verläuft
Trail head: Einstieg zum Wanderweg
Tyvek: sehr leichtes, plastikartiges Material, das in den USA zur Wärmedämmung beim Hausbau eingesetzt wird und als Folie erhältlich ist. Damit werden Zeltböden oder die Bodenplanen vom Zelt ersetzt

*White blaze**: siehe unter Blaze

*Yellow blazing**: per Anhalter fahren und Trailabschnitte auslassen

*Zero-Day**: siehe unter Near-O-Day*
Ziploc bag: durchsichtige Plastikbeutel mit Verschluss

KATAHDIN
NORTHERN TERMINUS OF THE
APPALACHIAN TRAIL

... das ist mir ein besonderes Anliegen, mit dem die Appalachian Trail Conservancy nichts zu tun hat – jedoch mit dem Wunsch, dass mehr Leute die wunderbare Arbeit, die hier geleistet wird, unterstützen.

Segel, Sturm und Ozeane...
– Einblicke in die Zeit der großen Segelschiff-Fahrt zwischen 16. und 19. Jahrhundert

"[...]*dieses Buch* [ist] *alles andere als nur eine Dokumentation der Seefahrtsgeschichte, sondern eine unterhaltsame Lektüre, die von Seite zu Seite fesselt.*"

– Garmisch-Partenkirchner Tagblatt

bereits bei BoD – Books on Demand GmbH, Norderstedt erschienen
19,80 Euro [D]

ISBN: 978-3-833434-37-2